La Nueva Cocina Salu

del Chef Oropeza

Edición Especial

Juan Alfredo Oropeza Mercado
www.cheforopeza.com.mx

Contenido

Introducción

La evolución de la ciencia, la tecnología y la educación han cambiado la vida del ser humano; con sus adelantos han hecho posible prolongarla hasta edades avanzadas conservando una buena salud. También han modificado sus hábitos y costumbres ofreciéndole conocimientos, productos e información que le permiten ahora disfrutar de una forma de vida más sana e interesante.

Sin embargo, un porcentaje importante de la población mundial enfrenta riesgos de salud, sobre todo aquellos que tienen que ver con un régimen alimenticio que no es sano y que propicia el desarrollo de enfermedades como obesidad, colesterol elevado e hipertensión arterial.

Desde esta perspectiva nació el interés del Chef Juan Alfredo Oropeza por desarrollar un movimiento que promueve la conjugación de la Gastronomía y la Nutrición para ofrecer al ser humano una Cocina Saludable que satisfaga su paladar y le ayude a conservar su salud. La experiencia de haber puesto en práctica estos conceptos durante varios años, y el excelente resultado alcanzado en la primer publicación de *La Nueva Cocina Saludable del Chef Oropeza*, le inspiró para continuar escribiendo sobre este tema y sobre todo, para desarrollar recetas fáciles que cualquiera puede hacer en casa.

El espíritu que guía la obra del Chef Oropeza coincide con la filosofía de ✪ MSD misma que nos ha permitido ocupar el liderazgo en investigación y desarrollo de nuevos medicamentos para preservar la salud del ser humano en el mundo. Nuestra razón de ser, que sintetizamos con la frase «primero la salud de los pacientes», nos obliga a apoyar los esfuerzos de la gente para fortalecer la actitud de las personas para mantenerse saludables. Es por ello que  apoya esta nueva obra del Chef Oropeza, la cual promueve la adopción de hábitos sanos de alimentación para el cuidado de la salud.

El Chef Oropeza reúne en este libro un conjunto de recetas creadas por él, que usted se deleitará en cocinar e, indudablemente, en degustar. Hágalo con la tranquilidad de estar sirviendo en su mesa un platillo de *La Nueva Cocina Saludable del Chef Oropeza.*

"Donde los pacientes son lo primero  **MSD**

Visítenos en http://www.msd.com.mx
Call Center D.F. 5481 9708 o 01800 017 6600

Prólogo

Expresión, es para mí la única palabra que enuncia todo lo que viene a mi mente cuando pienso en comida. Cierro los ojos y me veo de pie en la cocina de mi casa. Tendría no más de 7 años cuando acercaba el taburete a la alacena para poder alcanzar los ingredientes que coronaban la torre multicolor de productos. En las tardes, por lo general no había nadie, así que el único sonido que escuchaba era el que yo hacía. Tomaba las tortillas del último estante, abría el refri y sacaba una salsa de tomate, crema y queso. Iba por la sartén, encendía la hornilla acercando un cerillo con tanto temor que retiraba la mano al instante para no quemarme, la mayor parte del tiempo no conseguía prenderla. Finalmente, tomaba el aceite, lo calentaba y echaba las tortillas en él, luego las sacaba, les ponía la salsa, crema y queso. Sin saberlo, estaba haciendo mi primera receta, unas inolvidables "salsadillas" (así las bauticé). Y no sólo eso, sino también estaba expresando mi deseo de comer rico, de independencia.

Expresión es, sobre todo, el camino que determinó el increíble viaje que he realizado con ustedes los últimos siete años y que me ha llevado a compartir la experiencia que me ha regalado el recorrido, escribiendo este libro. Un libro que no pretende ser un listado de recetas, una compilación de técnicas, sino el jugo concentrado de todas las vivencias que permanecen en nuestra memoria y que en mi caso, tienen forma de platillos.

Y sí, así fue en los últimos años me expresé de formas diversas. A veces, en grandes banquetes donde la comida celebra o conmemora ocasiones especiales. Las bodas con más de 500 invitados en cuyo paladar te gustaría dejar huella, volviéndote cómplice de los novios. Bautizos en los que compartes la alegría de la llegada de un nuevo ser con platillos vivaces. Aniversarios que marcan el tiempo con la constancia brindando sabores, aromas y texturas en los alimentos que son también anécdotas felices o graciosas. Propuestas matrimoniales en las que la prometida te pide que "por favor cocines algo ligero porque no va a poder comer de los nervios"; pero le haces algo más y los platillos sirven para romper el hielo y facilitar la llegada del gran momento cuando por fin digan: "Me quiero casar con su hija".

Parte de estos siete años los pasé viajando por la República Mexicana, aprendiendo más y más de los secretos que guarda la cocina y nuestra gente; de éste mi gran país: México. También tuvimos la fortuna de servir los alimentos durante el rodaje de numerosas películas y en aquel tiempo aprendí, tras ver el trabajo extenuante que llevan a cabo camarógrafos, sonidistas, técnicos y actores, que la comida debía ser para cada uno de ellos una recompensa. Que desde el primer bocado el sabor explotara en sus bocas y los hiciera pensar, "valió la pena". Asimismo, entendí la responsabilidad que implicaba la selección de las recetas que prepararía, pues todas debían proveerles las vitaminas y elementos necesarios para que tuvieran la fuerza y energía que requerían para hacer su trabajo con éxito.

La expresión llegó a aviones ejecutivos, jefes de Estado, celebridades, asilos, albergues, orfelinatos, jornaleros mexicanos trabajando en los campos de Estados Unidos y por supuesto, mi propia familia. Todo eso se traduce a recetas que en cada momento intentaron expresar algo del respeto, solidaridad, admiración y hasta amor que siento por cada una de las personas que conocí y que me cambiaron de alguna forma.

Entonces, si la comida para mí es expresión, yo debía convertirla en un lenguaje, y no sólo eso, sino ser un experto y pulir el idioma que deseaba llamar mío. Es cuando ustedes me dieron otra valiosa lección que me transformó para siempre. Hace seis años descubrí que no importaba que yo hiciera comida saludable y conociera las propiedades nutrimentales de los alimentos, como el hecho de que todo el mundo pudiera conocerlas de igual forma y aplicarlas en su día a día, de manera rápida, sencilla y económica. En Tijuana, fui invitado a una conferencia acerca de la comida saludable, y pude ver un auditorio para 600 personas colmado; además de 300 personas más que no pudieron entrar y que deseaban conocer esa información. Desde entonces, supe que todos y cada uno de nosotros debíamos contar con las herramientas necesarias para mejorar nuestro cuerpo, nuestra salud. Ahora, transmitir este aprendizaje es una prioridad en mi vida.

Por eso, y sin ánimo de que suene a comercial, quiero expresar un sincero agradecimiento a las marcas que me han permitido y apoyado en este increíble viaje. *CAPULLO, LALA* y *WHIRLPOOL,* gracias de todo corazón porque la confianza en mí y en mi trabajo, hizo posible que yo sea quien soy hoy y que conociera a tantas y tantas personas que han enriquecido mi camino día con día.

EXPRESIÓN: eso es la cocina para mí. Una "salsadilla" que a los 7 años mostró una inquietud y que hoy es una vida que no podría imaginar de otra forma. Espero que el libro que tienen entre sus manos los ayude a decir con platillos "felicidades", "te lo mereces", "te quiero", "te extraño", "quédate", "gracias", "¿te acuerdas?", y mucho, pero mucho más. Que las técnicas y recetas que están tras estas páginas, las aprovechen al máximo porque fueron hechas para que todos las podamos hacer y usar de manera divertida, rápida, económica y saludable. Que las y los ayude a desarrollar su propio lenguaje, su propio idioma y logren compartir lo que llevan dentro, apelando a todos los sentidos. La vista, el tacto, el oído, el olfato y el gusto. Y ojalá, que cada uno de ustedes encuentre su propia "salsadilla".

Oropeza.
Gracias.

SENSING THE DIFFERENCE

al
sabor
chef

Seguramente compartes conmigo la opinión de que los buenos tiempos, normalmente giran alrededor de tus seres queridos ya sea papás, abuelos, pareja, amigos, etc., y para ello —desde mi punto de vista— es importante contar con dos cosas: la primera, una deliciosa comida y la segunda: SALUD. Por este motivo es que inicio mi primer capítulo hablando de un tema que todos debemos conocer y platicarlo con nuestros cómplices de los buenos tiempos, pues muchas enfermedades se pueden prevenir. A continuación te cuento acerca del colesterol:

El colesterol es un compuesto relacionado con las grasas y se divide en dos:

Colesterol exógeno:

Es como se le conoce al colesterol que se encuentra en ciertos productos alimenticios, básicamente se puede encontrar en productos animales y es muy difícil que lo encuentres en productos vegetales.

Colesterol endógeno:

Es el colesterol que produce nuestro cuerpo de forma natural y que se encuentra en la sangre. Este colesterol se produce en el hígado y es de vital importancia para el ser humano; entre otras, hace las funciones de proteger el sistema nervioso y tejidos, mientras que en la piel se convierte en vitamina D al contacto con el sol. Este colesterol también interviene en la formación de ciertos bloques de hormonas, la recomendación de consumo diario de colesterol exógeno es de 300 miligramos al día.

Casi siempre que uno está con el doctor, ya sea nutriólogo, endocrinólogo, etc., durante la conversación se mencionan ciertos términos o abreviaciones que no todos entendemos. Algunos de ellos —y que están íntimamente relacionados con el colesterol— son los siguientes: LDL y HDL, ambos son lipoproteínas y se encargan de transportar el colesterol por el sistema circulatorio, es decir, por la sangre, sólo que las HDL (lipoproteínas de alta densidad) se encargan de limpiar o sacar el colesterol del sistema circulatorio. Estas lipoproteínas las puedes encontrar en grasas buenas o, como también se les conoce, grasas monoinsaturadas y poliinsaturadas. Éstas se encuentran en aceites vegetales como el de oliva o canola; algunas semillas como ajonjolí, cacahuate, nueces y almendras.

A diferencia de las HDL que son buenas para tu organismo, el tener niveles altos de las LDL o lipoproteínas de baja densidad es un problema, pues estas lipoproteínas tienen una textura pegajosa que hace que el colesterol se quede en las arterias, lo cual, con el paso del tiempo hará que las arterias se bloqueen, generando entre otros problemas, arritmias cardiacas, embolias y hasta infartos. Está comprobado que el abuso en el consumo de grasas saturadas aumenta los niveles de LDL, es por ello que especialistas en salud recomiendan disminuir el consumo de grasas saturadas.

Como ya te platiqué existen alimentos que provocan altos niveles de colesterol y los especialistas recomiendan consumirlos con moderación. Aquí te menciono algunos de ellos:

- Embutidos de cerdo
- Chicharrón
- Manteca
- Aceite de coco
- Vísceras

Entre los alimentos que favorecen o ayudan a reducir los niveles altos de colesterol te menciono los siguientes:

- Aceite de canola Capullo
- Aceite de oliva
- Arenque
- Salmón
- Trucha
- Semillas como: nueces, almendras, ajonjolí y cacahuate
- Soya

Yo te sugiero que te hagas una autoevaluación para ver si estás en riesgo de presentar problemas de colesterol elevado o hipercolesterolemia:

- Fumo
- Presión arterial alta
- Familiares con enfermedades cardiacas
- Edad arriba de 28 años
- Diabetes
- Sobrepeso
- Falta de ejercicio
- Consumo gran cantidad de grasas animales

Si contestaste más de dos veces SÍ, me da mucho gusto decirte que necesitas modificar tus hábitos, es decir, ¡tienes la oportunidad de evitar un gran número de enfermedades! Sólo necesitas iniciar por lo siguiente:

Consume frutas, verduras, legumbres, aceite de oliva. Reduce la cantidad de carnes rojas y aumenta el consumo de pescado, cereales integrales y arroz.

Es fundamental reducir el consumo de grasas saturadas, que provienen especialmente de los productos de origen animal como carnes rojas, manteca y leche entera con sus derivados.

Aunque los aceites vegetales están especialmente recomendados es mejor no abusar en frituras con técnica de inmersión en aceites o manteca, es decir: freír. Recuerda que puedes conseguir esa misma textura crujiente con la técnica de horneado a temperatura elevada sobre una parrilla o rack.

Según la Encuesta Nacional de Salud 2006, el 25% de los mexicanos fuma, y de ese porcentaje, el 42% sufre de hipercolesterolemia, multiplicando así el riesgo de padecer enfermedades cardiovasculares.

La práctica regular de ejercicios —30 a 60 minutos, tres a cinco veces por semana— también reduce los niveles de colesterol "malo" y contribuye a aumentar el colesterol "bueno". La actividad debe ser preferentemente aeróbica, es decir, caminar, trotar, correr, brincar la cuerda, hacer aerobics, andar en bicicleta, etc., y conviene realizarla con intensidad moderada en un inicio. Como tip, que puedas hablar sin que se te corte la voz mientras realizas la actividad.

líneacardio♥metabólica
✦ MSD

Capítulo I

La nutrición y la gastronomía son temas que en la actualidad se ligan íntimamente. Ésta es una idea que comparto con mucha gente y, aun respetando opiniones contrarias, considero que es válido tomarla como base para desarrollar un menú o un régimen alimenticio saludable, sin que necesariamente se sacrifique el disfrutar de uno de los más grandes placeres del ser humano: comer.

La relación entre estos dos temas ha provocado también que cuando hablamos de cocina usemos palabras de nutrición y gastronomía. Y como he escuchado varios comentarios de personas que visitan al nutriólogo de que sienten que les habla en otro idioma, creo que es conveniente empezar por revisar algunos de los términos más utilizados por ellos para su mejor comprensión.

Nutrición:

Es la suma de procesos que incluyen la ingestión, digestión, absorción, transporte, utilización, y excreción de sustancias alimenticias. En otras palabras, es el estudio de la manera en que los seres humanos hacen uso de la comida o de la forma en que comen para cubrir las necesidades de su organismo.

Los nutrimentos no son la comida por sí misma, sino que son algunos de los elementos de los que está compuesta la comida. Por ejemplo, nosotros vemos un mango y lo traducimos en una deliciosa fruta, jugosa, aromática y dulce. No lo vemos como carbohidratos, fibra, vitaminas y minerales.

Calorías:

La caloría es una unidad de medida como el metro, el litro o el gramo. La caloría se usa para indicar el valor energético de un alimento o bebida en específico. Es por esto que mucha gente utiliza el conteo de calorías como forma de controlar su peso.

Casi todos los nutrimentos contienen calorías en mayor o menor cantidad, por ejemplo: los carbohidratos y las proteínas contienen 4 calorías por gramo. Las grasas tienen 9 y el alcohol tiene 7.

• Calorías Vacías:
La mayoría de los alimentos que han sido procesados o refinados como el alcohol o el azúcar no aportan nutrimentos al organismo y por ello se les conoce como calorías vacías.

Carbohidratos o Hidratos de Carbono:

Son la principal fuente de energía para el cerebro y el sistema nervioso. Proveen de energía a los músculos para hacer posible el movimiento y regulan en parte el metabolismo de las grasas. El 55 a 60% de las calorías que requiere una persona deben provenir de los carbohidratos.

A los carbohidratos se les divide en dos: simples y compuestos.

• **Carbohidratos simples:**
También son conocidos como de azúcar simple.

¿Dónde los podemos encontrar? Se encuentran en frutas, leche y vegetales.

Al azúcar natural que contienen las frutas se le conoce con el nombre de fructosa, al de la leche se le conoce como lactosa y un caso particular es el de las uvas que contienen maltosa.

La diferencia de este tipo de azúcares naturales con las refinadas como son la miel de maple, molasas, azúcar blanca, azúcar morena, jarabes de maíz y algunos otros endulzantes es que estos últimos solamente aportan calorías vacías. Es decir, su aportación de nutrimentos como vitaminas y minerales es casi nulo.

Sin embargo, hay que admitir que este tipo de azúcares tienen un papel muy importante en muchas recetas porque suavizan, conservan y añaden mucho sabor a los platillos, pero hay que tener cuidado en no abusar de ellas ya que debes recordar que muchas calorías en tu dieta harán que subas de peso.

• **Carbohidratos complejos:**
Este tipo de carbohidratos los puedes encontrar en granos y cereales como el arroz, trigo y maíz. En las leguminosas como el frijol, lentejas y habas, así como en frutas y vegetales.

Fibra:

La fibra es otro carbohidrato esencial para una dieta saludable. Es la mezcla de diferentes componentes y se encuentra en los carbohidratos complejos (trigo, maíz, arroz, frijol, lentejas y habas). La fibra se divide en dos: solubles e insolubles.

• **Fibras solubles:**
Se ha demostrado que estas fibras cumplen con una función muy importante que es la de reducir los niveles de colesterol y con esto el riesgo de ataques al corazón. También ayudan a regular el uso de azúcares por el cuerpo y de esta forma retrasan la digestión e inhiben y retrasan la sensación de hambre. Como ejemplo de estas fibras tenemos: manzanas, peras, avena, frijol, garbanzo, lentejas y alubias

• **Fibras no solubles:**
Éstas no se disuelven en agua sino al revés, absorben agua y se hacen más voluminosas causando así una sensación de saciedad o

falta de apetito. Al mismo tiempo, ayudan a que los intestinos trabajen más rápido previniendo de esta forma desórdenes gastrointestinales. Está comprobado que las fibras no solubles ayudan a prevenir ciertos tipos de cáncer y diabetes tipo 2. Las podemos encontrar en nueces, harinas de trigo y palomitas de maíz.

Proteínas:

La palabra proteína viene de la palabra griega *proteios* que significa "de suma importancia". Y sí es de suma importancia el incluirlas en nuestra dieta diaria. El porcentaje de calorías que deben aportar las proteínas es de 12 al 15%, esto corresponde a 240 o 300 calorías en un régimen de 2000.

Las proteínas contienen cuatro calorías por cada gramo por lo que sólo se requieren de 65 a 70 gramos de proteínas para cubrir su requerimiento diario en un régimen de 2000 calorías al día.

Los niños y las mujeres embarazadas o en lactancia deben aumentar su ingestión de proteínas pues éstas son muy importantes para el crecimiento, producción de anticuerpos, enzimas y hormonas.

El dicho "ni tanto que queme al santo, ni tanto que no lo alumbre" puede aplicarse a las proteínas porque su consumo excesivo se liga con diferentes tipos de problemas. Y como el cuerpo no puede tener un exceso de proteínas él mismo lo metaboliza y termina convirtiéndolo en grasa.

Las proteínas están compuestas de aminoácidos de los que existen aproximadamente 20 tipos diferentes de los cuales nuestro cuerpo puede crear la mayoría. Pero existen ocho tipos de aminoácidos esenciales que no son producidos por nuestro cuerpo y éstos pueden ser encontrados, en su mayoría, en alimentos ricos en proteínas.

Las proteínas pueden ser catalogadas o divididas en dos: las completas y las incompletas.

Las proteínas completas o de origen animal, son cualquier clase de alimento que contenga los ocho aminoácidos esenciales necesarios para producir el resto de las proteínas. Por ejemplo: carnes, aves, pescados, quesos, huevo y leche (en su mayoría productos de origen animal).

Pero cuidado, ya que algunas de ellas también contienen grasas saturadas y colesterol (carnes rojas y huevo).

Las proteínas incompletas o de origen vegetal, como los vegetales, granos, nueces, etc., no contienen todos los aminoácidos esenciales. Sin embargo, cada uno de ellos tiene diferentes tipos de aminoácidos esenciales y es la combinación de éstos la que nos da un balance perfecto, ya que estudios recientes comprueban que nuestro cuerpo no necesita los ocho aminoácidos esenciales en la misma comida sino en la combinación de las diferentes comidas de un día.

Un ejemplo de este tipo de alimentación es la de generaciones anteriores que mezclaban la tortilla con los frijoles.

Colesterol:

Existen dos tipos de colesterol: exógeno (malo) y endógeno (bueno).

El endógeno es encontrado en el torrente sanguíneo (sangre) del ser humano y es un compuesto esencial para vivir. Este colesterol es producido por el hígado y tiene, entre otras, las funciones la de crear una especie

de cubierta para proteger a las fibras nerviosas; en la piel el colesterol es convertido en vitamina D con ayuda del sol y brinda protección a algunas hormonas.

Como el colesterol es un compuesto que nuestro mismo organismo puede producir a través de diferentes alimentos, no es recomendable abusar en nuestros menús de altos niveles de colesterol exógeno que proviene de algunos alimentos.

Rediseño de la Pirámide Alimenticia por Walter Willet
Harvard School of Public Health

Tomado de *Eat, Drink and be Healthy* por Walter C. Willet, M.D.
© Simon and Schuster, 2001.
© 2002 President and Fellows of Harvard College

Capítulo II

En las últimas dos décadas, la población mexicana ha experimentado cambios en la salud: por una parte, la desnutrición aqueja principalmente a niños y a mujeres, mientras la obesidad y una diversidad de enfermedades crónicas han emergido como problema de salud pública. Padecimientos relacionados con el excesivo consumo de grasa son cada vez más frecuentes.

Los cambios de estilos de vida y tipo de alimentación incrementan factores de riesgo como obesidad y dislipidemias, favoreciendo la prevalencia de las Enfermedades Crónicas No Transmisibles (ECNT).

Más del 50% de la población entre 20 y 69 años (20 millones) es portadora de al menos una de las ECNT y más de la mitad lo desconoce. La prevalencia nacional de estas enfermedades como hipertensión arterial sistémica es del 30.05%, de diabetes tipo 2 de 10.8% y de obesidad de 24.4%.

De acuerdo con los resultados de la segunda Encuesta Nacional de Nutrición 1999 (ENN-99), en la actualidad existen más de 11 millones de mujeres de 12 a 49 años de edad con sobrepeso y obesidad.

SÍNTOMAS DE PRESIÓN ARTERIAL ALTA:
Acufenos o zumbidos de oído, fosfenos presencia de destellos de luz intermitentes, dolor de cabeza y mareo. Enfermedades: Diabetes y accidentes vasculares cerebrales.

PROBLEMAS DEL CORAZÓN
Edema retención de agua hinchazón en el cuerpo, sianosis cambios de color en las puntas de los dedos (azul) o labios, dificultad para respirar, taquicardia.

DIABETES:
Mucha sed, polaquiuria orina frecuente, mucha hambre. Insuficiencia renal, catarata diabética que puede llegar a ceguera, ateroesclerosis, gangrena.

PROBLEMAS DE ESPALDA Y RODILLAS:
Dolor en articulaciones, cansancio, lumbalgia dolor de cintura. Hernias de disco.

INFARTOS CARDÍACOS
Dolor de pecho, hombro y brazo del lado izquierdo, falta de aire. Ateroesclerosis.

PROBLEMAS DE AUTOESTIMA:
Se tornan hipocondríacos, aislamiento de la sociedad, depresión, angustia, suicidio.

PROBLEMAS DE TIPO EMOCIONAL:
Fácil llanto, angustia depresión.

Cómo iniciar un plan de acondicionamiento físico

Es muy importante el incluir en tus hábitos algún tipo de ejercicio cardiovascular como caminar, subir escaleras, correr, bicicleta, etc. Un tip importante para quienes no acostumbran hacer ejercicio es el de iniciar con un plan mensual haciendo cualquier ejercicio aeróbico cada tercer día por un periodo de 20 minutos, a una intensidad media a baja. No debes llegar a sofocarte, debes de poder platicar mientras realizas esta actividad. Yo te recomiendo que te asesores con algún experto en la materia.

Diferencias entre sobrepeso y obesidad:
Tú lo puedes determinar con la fórmula del índice de masa corporal.
Esta fórmula es la siguiente:

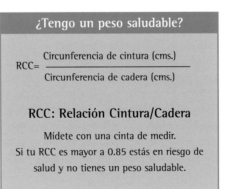

¿Estoy en mi peso?

$$IMC = \frac{\text{Peso actual en kilogramos}}{\text{Estatura en metros}^2}$$

IMC: Índice de masa corporal

Si tu IMC es:

25 o más = SOBREPESO

18 a 25 = PESO NORMAL

Menos de 18 = BAJO PESO

¿Tengo un peso saludable?

$$RCC = \frac{\text{Circunferencia de cintura (cms.)}}{\text{Circunferencia de cadera (cms.)}}$$

RCC: Relación Cintura/Cadera

Mídete con una cinta de medir.

Si tu RCC es mayor a 0.85 estás en riesgo de salud y no tienes un peso saludable.

Capítulo III

Ahora que ya revisamos una serie de términos, así como las enfermedades provocadas por el sobrepeso y la composición de algunos de los alimentos, creo que es momento de que pasemos a mi lugar favorito, LA COCINA, pero primero, lo primero:

Técnicas de la cocina saludable.

• Saltear:

La forma saludable es barnizar ligeramente con muy poco aceite la sartén que se va a utilizar. Esto lo hacemos para darle tiempo a lo que vamos a cocinar de soltar su propia grasa y así evitar que se pegue. En esta técnica de cocción el problema viene cuando se abusa del aceite por lo que te recomiendo que rocíes la sartén con Capullo en cualquiera de sus presentaciones para asegurarte de que la cantidad de aceite es la adecuada, así como para que no se peguen los alimentos mientras son cocinados.

Los alimentos que entran en esta técnica de cocción saludable son aquellos que son suaves, del tamaño de una porción o más chicos y delgados como para que se puedan cocinar rápidamente sin que se endurezcan. En contra de lo que se pudiera pensar, esta técnica de cocción se usa con muy buenos resultados para frutas y vegetales. Existen algunos que son más difíciles de cocer y necesitan estar precocidos antes de saltear como el brócoli, la zanahoria o la coliflor.

• Parrillar:

Ésta es la técnica más popular en la cocina saludable pues casi no se necesita grasa, el sabor es muy particular y la presentación es muy agradable y del gusto de la mayoría de la gente. En este caso, la mayor parte de los alimentos se puede hacer a la parrilla: desde carnes, pescados, mariscos y vegetales hasta frutas, pizzas y sandwiches. A esta técnica se le pueden agregar diferentes tipos de sabores a través de carbón o maderas.

Tip: Antes de prender la parrilla rocíala con Capullo para evitar que los alimentos se peguen y obtengan un mejor sabor y textura.

• Rostizar y hornear:

Estas dos técnicas son ideales para la cocina saludable porque el sabor que le dan a los alimentos es único y casi inigualable. En esta técnica, al igual que a la parrilla, los alimentos no necesitan más que una rociada de Capullo antes de meter al horno ya que se cocinan con el aire caliente.

• Cocer al vapor:

Cuando la gente piensa en comer saludable

lo primero que les viene a la mente es cocer al vapor ya que no se usa aceite o grasa, pero también saben que lo que se haga al vapor casi no tiene sabor. En estos casos el reto es agregarle sabor a los alimentos que se cuecen de esta forma.

Algo que puedes hacer para darle sabor a los alimentos cocinados al vapor es agregar hierbas de olor, cebolla, ajo, vegetales o jugos de frutas y envolverlos en papel aluminio para cocerlos. Al abrir el papel aluminio, el aroma que brota de ellos es sensacional.

Para cocinar vegetales, en lugar de dejar que se cuezan solamente con el vapor de agua, puedes utilizar una técnica que se llama *pan steaming* que consiste en agregar algún jugo de fruta, vinagre o caldo a los vegetales que vas a cocer y ponerlos a fuego lento. Por ejemplo ejotes cocidos con un poco de jugo de naranja.

Cuando cuezas solamente con el vapor de agua puedes agregar al agua vino blanco o tinto según el caso, hierbas de olor, vinagre, etc. Para que con el aroma que sale del agua condensada tomen un mejor sabor.

• Pochar:
En esta técnica, así como en algunas otras que verás más adelante, los alimentos se sumergen en una olla con líquido hasta cubrirlos a una temperatura de 70° a 82°C. (flama 1/4. Fuego bajo). Recomiendo esta técnica para huevo, pescados o carnes suaves.

• Cocer a fuego lento:
Como su nombre lo dice, en esta técnica, al igual que en la anterior, los alimentos se cuecen dentro de algún líquido. La temperatura a la que tiene que estar el agua es de 82 a 85°C (fuego medio). Te recomiendo que utilices esta técnica con pollo entero, granos como frijol o lentejas y algunos vegetales.

• Hervir:
Como ya sabemos, los líquidos llegan a punto de ebullición a los 100°C. Esta técnica es recomendable sólo para pastas secas y algunos vegetales y no para carnes porque a esta temperatura se pondría chiclosa o dura.

En cualquiera de estos tres casos puedes agregar sabor a lo que cocines mezclando el agua con hierbas de olor, vino o vinagres.

Capítulo IV

La sal contiene sodio que es un mineral vital que ayuda al cuerpo a mantener los fluídos en balance, pero el uso excesivo de ésta puede generar problemas de hipertensión o presión arterial alta por lo que es importante hacer uso de ella de manera adecuada.

Por ejemplo, el uso correcto o más efectivo de la sal es cuando se usa en pequeñas dosis y al principio del proceso de cocinado en lugar de agregarla cuando el platillo está listo. Cuando agregamos sal a una carne cruda ésta se impregna de manera más profunda. El sabor mejora y el uso de la sal es correcto, ésta se absorbe, fija y suaviza.

Otro punto importante que debe mencionarse es que, dependiendo de la temperatura del alimento así de fuerte será el sabor de la sal pues éste es más prominente en temperaturas frías o templadas que en caliente.

Un tip importante es que procures realzar el sabor de tus alimentos incorporando condimentos y especias naturales con la sal. Por ejemplo: agrégale cilantro picado con chile y limón o jengibre, ajo y cebollín, aceite de olivo, limón, orégano y jitomate o albahaca y ajo.

Tipos de sal

• Sal de mesa
Es la que más se usa en la cocina. Normalmente son gránulos pequeños en forma de cubos.

• Sal kosher
Son gránulos de sal comprimidos, más ligera de peso en comparación con la sal de mesa y se obtiene a través de un proceso de evaporación parecido al de la sal de mar.

• Sal de grano
Se obtiene de sal de mar, laguna salitrosa o evaporación. Generalmente es un producto con impurezas y humedad. Para uso industrial, tratamiento de agua o salmuera que no requiere pureza.

• Sal de mar
Se produce a través de la evaporación de agua de mar. Su adherencia y disolvencia en la comida es buena.

• Sal fina
Producto de primera calidad que incluye yodo y flúor. Es la sal más pura, uniforme en tamaño y dimensiones, de grano refinado que permite integrarse mejor a los alimentos realzando así el sabor de la comida.

Endulzantes

• Azúcar refinada

Este proceso se lleva a cabo a través de la concentración y purificación de carbohidratos encontrados en algunos alimentos. Se puede hacer de manera industrial como el azúcar refinada, melaza, miel de maíz, miel de maple o de manera natural como en el caso de la miel que producen las abejas del néctar de las flores.

Como fuente de carbohidratos, el azúcar refinada es una buena fuente de energía, pero tiene muy pocos nutrientes lo que la hace una fuente de calorías vacías.

• Endulzantes naturales

Siempre que sea posible usa jugos de frutas, frutas secas o frutas naturales como una fuente saludable para endulzar la comida. Mientras que el azúcar refinada es una fuente de calorías vacías, los endulzantes naturales como las frutas secas y naturales aportan nutrientes además de endulzar.

Existen formas de aumentar el sabor dulce de las frutas y del azúcar refinada por medio del calor. Caramelizar el azúcar crea un sabor más complejo y fuerte. El mezclar azúcar o frutas con especias dulces como el cardamomo, la canela o la vainilla aumentará el sabor dulce. Calienta los postres. Recuerda tibios o calientes se perciben más dulces.

Capítulo V

Grasas y aceites

• **Lo bueno y lo malo:**

Lo bueno:
En contra de lo que opina la mayoría de la gente, la grasa también es un elemento indispensable para el ser humano así como para nosotros los cocineros para desarrollar cualquier tipo de menú por el sabor y las texturas que pueden aportar a un platillo. Algunas de las funciones de las grasas son las de proteger la mayoría de los órganos vitales. También ayudan a mantener y regular la temperatura corporal y durante la digestión la grasa se va hacia la parte alta del estómago; es digerida lentamente y por esta razón mantiene constantes los niveles de glucosa en la sangre creando así la sensación de saciedad evitando con esto el que uno siga comiendo.

Lo malo es que el exceso de grasas no es saludable pues aumenta las probabilidades de enfermedades del corazón, de algunos tipos de cáncer y obviamente contribuye de manera directa a subir de peso muy rápidamente, pues cada gramo de grasa equivale a 9 calorías.

Las grasas y aceites están compuestas de tres diferentes tipos de grasas que son:

Grasas monoinsaturadas:
Éstas son las más recomendables en un régimen alimenticio saludable porque disminuyen los riesgos de enfermedades cardiovasculares a la vez que tienden a disminuir el nivel de ciertos tipos de colesterol y también las probabilidades de enfermarse de arteroesclerosis.

Podemos encontrar grasas monosaturadas en el aceite de oliva, las aceitunas, el aceite de cacahuate, cacahuates, aguacates y almendras.

Aceites o grasas poliinsaturadas:
Estas grasas o aceites aún pueden ser recomendables. Aunque no tienen las mismas propiedades que las monosaturadas; estas grasas las podemos encontrar en el aceite de maíz, en los elotes, semillas de girasol, nueces, aceite de nuez, ajonjolí, aceite de ajonjolí, aceite de soya y Capullo.

Aceites y grasas saturadas:
Las grasas saturadas se encuentran en su mayoría en productos de origen animal, como por ejemplo la mantequilla, la manteca (animal), en la piel del pollo, carne de cerdo, embutidos, tocino, salchichas, huevo y el coco. Las grasas saturadas son responsables del incremento en los niveles de colesterol y con esto aumentan las probabilidades de desarrollar enfermedades cardiovasculares.

GRASA DIETÉTICA	El contenido de ácido graso normalizado al 100%			
Capullo	7%	21%	11%	61%
Aceite de cártamo	10%	76%	Referencia	14%
Aceite de girasol	12%	71%	1%	16%
Aceite de maíz	13%	57%	1%	29%
Aceite de oliva	15%	9%	1%	75%
Aceite de semilla de soya	15%	54%	8%	23%
Aceite de cacahuate	19%	33%	Referencia	48%
Aceite de semilla de algodón	27%	54%	Ref.	19%
Manteca de cerdo*	43%	9%	1%	47%
Sebo de res*	48%	2%	1%	49%
Aceite de palma	51%	10%	Referencia	39%
Grasa de la leche	68%	3%	1%	28%
Aceite de coco	91%		2%	7%

Contenido de colesterol (mg/Cucharada sopera): Manteca de cerdo 12; Sebo de res 14; Grasa de leche 33. No existe colesterol en ninguno de los aceites de base vegetal.
Fuente de información: POS Pilot Plant Corporation, Saskatoon, Saskatchowan, Canadá, junio 1994.

Grasa Saturada

Grasa Monoinsaturada

Grasa Polinsaturada

Ácido Linoléico

Ácido Alfa-Linoléico (un ácido graso Omega-3)

Capítulo VI

Las vitaminas son un grupo de sustancias orgánicas sin valor energético propio, necesarias para el buen funcionamiento del cuerpo humano. Las vitaminas se dividen en dos diferentes tipos: las solubles en agua y las solubles en grasa.

Vitaminas solubles en agua

Estas vitaminas son la C o ácido ascórbico y las B. Y, como su nombre lo dice, se disuelven en agua. Por lo mismo son muy fáciles de transportar a través del torrente sanguíneo lo cual significa que tenemos que proveer a nuestro cuerpo diariamente de estas vitaminas pues las eliminamos diariamente a través de los fluidos.

La vitamina C la encontramos en limón, naranja, kiwi, guayaba, etc. Esta vitamina favorece la absorción de hierro y es fundamental para el crecimiento y mantenimiento de los tejidos corporales ya que estimula la producción de colágeno que a su vez hace que los tejidos se mantengan unidos; también estimula tu sistema inmunológico. La vitamina C tiene además propiedades de antioxidante por lo cual protege a tus células de diferentes factores de riesgo.

La vitamina B la puedes encontrar en granos como el ajonjolí; en legumbres como las lentejas, en carne de res o ternera y en pescados o mariscos. Esta vitamina es esencial para la producción de energía del cuerpo. Su deficiencia se traduce en anemia.

Vitamina B12. Esta vitamina sólo la puedes encontrar en alimentos de origen animal: carne de res, cordero, ternera, cerdo o ganso. Por esto, los vegetarianos deben cubrir la deficiencia de esta vitamina con algún suplemento alimenticio.

Vitaminas solubles en grasa

A diferencia de las vitaminas solubles en agua, estas vitaminas son almacenadas en el tejido adiposo ("las lonjas o callo de andadera") y se transportan con las grasas circulantes.

Éstas no son fáciles de eliminar. Son las vitaminas A, D, E y K. Las puedes encontrar en alimentos de origen vegetal y en aceites de pescado. Estas vitaminas, como cualquier otro elemento de los que hemos hablado, son indispensables para lograr un estado saludable de tu cuerpo, pero recuerda que deben tomarse en cantidades razonables ya que el exceso de esta vitamina no lo eliminas fácilmente sino que lo vas almacenado y esto puede tener consecuencias que deterioren tu salud.

Vitamina A: Se conoce como retinol. Esta vitamina no la puedes encontrar como tal en alimentos de origen vegetal, pero una sustancia conocida como caroteno, que nuestro organismo utiliza para producir vitamina A la puedes ingerir a través de las naranjas, en las frutas y vegetales de color amarillo o verde oscuro. Ejemplo: Papaya, mango o melón.

Vitamina D: Esta vitamina tiene como una de sus funciones principales la formación de los huesos. La falta de esta vitamina se traduce en una enfermedad llamada raquitismo y su consecuencia es un crecimiento anormal de los huesos. También las personas que no tienen contacto con los rayos solares pueden sufrir de esta enfermedad ya que la exposición al sol es un disparador para que nuestro cuerpo produzca vitamina D del colesterol. La encontramos en alimentos como la leche y cereales.

Vitamina E: Al igual que la vitamina C, ésta también tiene las propiedades de un antioxidante. La puedes encontrar en una gran variedad de alimentos como los aceites vegetales (margarina).

Vitamina K: Esta vitamina está directamente ligada con la buena coagulación sanguínea. La puedes encontrar en vegetales de color verde oscuro como el brócoli o la espinaca.

Minerales

Los minerales de mayor importancia son el calcio, potasio, magnesio, sodio, fósforo y hierro.

Magnesio: Este mineral es vital para la formación de huesos y la estructura de los dientes. La falta de magnesio puede causar trastornos en el crecimiento, calambres y cansancio o fatiga. Este mineral lo puedes encontrar en vegetales verdes, espinacas, granos y leguminosas.

Sodio y potasio: A estos minerales se les conoce como electrolitos. Mantienen el balance de los fluídos del cuerpo, por ejemplo, el intraocular. También están involucrados de manera importante en las funciones nerviosas y musculares, pues controlan y mantienen el potencial eléctrico del sistema nervioso, que permite la transmisión de impulsos nerviosos por todo el cuerpo.

Es muy difícil llegar a padecer problemas por falta de sodio ya que este mineral lo encontramos en la mayoría de los alimentos que comemos. Los síntomas por la falta de sodio son los siguientes: falta de apetito, calambres musculares y pérdida de la memoria. Hay que recordar que es más frecuente el tener problemas de niveles de sodio alto que bajo. Estos problemas se traducen en hipertensión o presión arterial alta.

En lo referente al potasio, éste lo podemos ingerir a través de frutas y vegetales como plátano y jitomate. Los síntomas por falta de potasio son fatiga, confusión y baja de presión.

Calcio: Este es el mineral de mayor importancia para el cuerpo pues es el que tenemos en mayor cantidad. Gran parte del calcio se va a la construcción y desarrollo de los huesos. El resto lo utiliza el cuerpo humano para regular la presión arterial y la contracción muscular. La falta de calcio puede provocar una baja densidad ósea y desórdenes en el crecimiento. Lo podemos encontrar en productos lácteos como leche, yogurt y quesos y vegetales verdes.

Fósforo: Este mineral tiene como función compartida con el calcio el mantener la estructura ósea y dental. Es muy difícil encontrar gente con problemas de falta de fósforo ya que lo consumimos cada vez que ingerimos proteínas animales, nueces, cereales y leguminosas.

Flúor: La principal función del flúor es el incorporarse al esmalte dental, lo que hace que los dientes sean más resistentes a la caries, al ataque de las bacterias y a los ácidos de la placa dentobacteriana. El flúor por lo general procede del agua fluorinada, pasta de dientes, té, cereales, carnes y pescado (sardinas, arenque y macarela).

Yodo: El yodo es esencial para la producción de muchas hormonas y se relaciona con el crecimiento y el desarrollo apropiados. Lo podemos encontrar en la sal de mesa yodatada, en los mariscos incluyendo las algas marinas y en la carne, frutas y verduras de zonas en las que el suelo contiene yodo.

Hierro: El hierro es esencial para el organismo porque es constituyente de la hemoglobina, mioglobina y varias enzimas oxidantes. Es necesario para la prevención de la anemia y juega un papel importante en la respiración y oxidación tisular. Algunas fuentes ricas en hierro son el hígado y otros órganos glandulares como la carne, huevo, mariscos, verduras de hoja verde como espinacas y brócoli y leguminosas como frijol, alubias y garbanzos.

Cinc: El cinc tiene una gran cantidad de funciones en el cuerpo, entre ellas, forma parte del sitio activo de 200 enzimas que participan en el metabolismo de la energía. El cinc fortalece al sistema inmune contra virus y bacterias, alergenos y carcinógenos invasores. Una ingesta inadecuada reduce nuestra resistencia a las enfermedades. El cinc se encuentra en el hígado, carne roja, yema de huevo, harina integral, mariscos, lácteos, vegetales y cereales.

Magnesio: Es necesario para el funcionamiento apropiado de los neurotransmisores, neuroquímicos y es vital para la división celular. También lo es para mantener los huesos y los dientes sanos y para el buen funcionamiento de los nervios. Actúa en el músculo cardíaco y en el sistema circulatorio ya que previene el aumento de la presión sanguínea. Las fuentes apropiadas de magnesio son: vegetales verdes, harina de trigo entero, leche, huevos, pescado, legumbres, mariscos, nueces, carne, cereales y sus derivados.

Para estar en condiciones saludables, nuestro cuerpo necesita que se le aporten todos los nutrimentos necesarios para un buen desempeño. Con esto quiero decir que para lograr un cuerpo saludable necesitamos incluir en nuestra alimentación la mayor variedad de alimentos posibles y de esta forma surtir a nuestro organismo con los nutrimentos que conocemos como esenciales que son las proteínas, carbohidratos, grasas, vitaminas y minerales.

Ahora que conocemos más términos del idioma de los nutriólogos, es el momento de avanzar a otros temas que también son de tu interés.

Existe una regla que dice: Si la energía que ingieres es igual a la energía que gastas, tu peso se mantendrá igual. Si tu ingesta de calorías es mayor a la cantidad que tu cuerpo metaboliza con tus actividades diarias, esto se reflejará en un aumento de peso corporal. Si en cambio, tu ingesta de calorías es menor a la que tu cuerpo necesita, esto se traducirá en una pérdida de peso.

Por supuesto que el subir o bajar de peso es un poco más complicado que esta regla ya que debemos incluir algunas otras variantes como el tipo de calorías que consumimos y cómo las metaboliza nuestro cuerpo. Por ejemplo, si has estado sometida(o) repetidamente a sesiones de dietas tu metabolismo estará más lento. Si estás en un programa de ejercicio físico regular

(lo que yo te recomiendo ampliamente) esto aumentará tu metabolismo y tu capacidad para bajar de peso.

Por esta razón te recomiendo poner atención en la cantidad de calorías que estás sirviendo en tu plato, pues la combinación de muchas calorías, más la falta de ejercicio se traducen en sobrepeso.

Capítulo VII

La fruta es uno de los alimentos con más ventajas ya que es muy sencillo prepararla y comerla. Tiene un sabor delicioso y está llena de vitaminas, minerales, antioxidantes y fibra esenciales para la salud. La fruta en general contiene muy poca grasa y calorías, pero aporta antioxidantes, mismos que previenen enfermedades como el cáncer y enfermedades del corazón. Procura comer las frutas con todo y piel pues la mayor parte de fibra y algunas vitaminas se encuentran en la piel. La recomendación es consumir al menos tres porciones de fruta al día.

Es importante que sepas que la fruta congelada aporta las mismas vitaminas y minerales que la fruta a temperatura ambiente. Los jugos de frutas (recién exprimidos, congelados o concentrados) son una muy buena fuente de vitamina C.

A continuación encontrarás una tabla de frutas y verduras y la relación que tienen con los diferentes aparatos y sistemas de nuestro cuerpo.

1 Sistema inmunológico
2 Sistema digestivo
3 Piel, pelo y ojos
4 Corazón, circulación
5 Sistema nervioso
6 Huesos y músculos
7 Sistema respiratorio

8 Sistema excretor
9 Sistema reproductor

FRUTAS

Manzanas (1, 2, 4, 6)
Ricas en vitamina C y fibra soluble.
Buenas para el corazón y la circulación.
Ayudan a combatir el estreñimiento
y la diarrea.

Peras (2, 4)
Ricas en potasio y fibra soluble.
Buenas para dar energía y reducir el nivel de colesterol.

Ciruelas (2, 4)
Ricas en potasio.
Buenas para el corazón y la circulación.

Duraznos (2, 4, 5, 9)
Ricos en vitamina C y hierro.
Son recomendables durante el embarazo. Aportan potasio y hierro. Es un laxante muy suave.
Son buenos para combatir la anemia, el cansancio y el estreñimiento.

Cítricos (1, 4)
Limón, naranja, toronja, mandarina, lima.
Ricos en vitamina C. Protegen al organismo contra infecciones. Son una buena fuente de potasio, fibra soluble e insoluble.

Zarzamoras (1, 2, 4)
Ricas en vitamina C y E.
Buenas para el corazón, la circulación y problemas de la piel.

Frambuesas (1, 2, 4, 5)
Ricas en vitamina C y fibra soluble.
Estimulan el sistema inmunológico, protegen contra el cáncer y problemas bucales.

Fresas (1, 4, 5, 6)
Ricas en vitamina C y en fibra soluble.
Ayudan a prevenir el cáncer, artritis, gota y anemia.

Uvas (1, 2, 3, 5, 6, 8)
Ayudan a combatir la fatiga y la anemia.

Plátanos (2, 4, 5, 9)
Ricos en potasio, vitamina B6 y ácido fólico.
Reducen los niveles de colesterol y son buenos para la actividad física.
Ayudan a personas con úlcera estomacal y con cansancio crónico.

Melón y sandía (2, 6, 8)
Son buenos para estreñimientos ligeros, problemas urinarios, gota y artritis.

Piña (1, 2, 4)
Rica en fibra y bromelina.
Buena para los problemas digestivos, la fiebre y dolores de garganta.
Excelente protección para el corazón.

Guayaba
Rica en vitamina C y fibra soluble.
Buena para reforzar el sistema inmunoló-
gico, reducir el colesterol y estreñimiento.
Protege el corazón y contra el cáncer.

Papaya (1, 2, 3, 4)
Rica en vitamina C, fibra y betacaroteno.
Buena para problemas digestivos.
Benéfica para la piel y el sistema inmunoló-
gico.

Mango (1, 3)
Rico en vitamina A, C, E y fibra.
Bueno para el sistema inmunológico y como protección contra el cáncer.

Kiwi (1, 2, 3)
Rico en vitamina C, fibra y potasio.
Bueno para el sistema inmunológico, la piel y problemas digestivos.

Frutas secas:
Son fuente de energía instantánea. Es por ello que los montañistas las consumen. Contienen grandes cantidades de hierro, potasio y selenio. La fruta seca ayuda a prevenir o reducir la anemia, combate el estreñimiento porque contiene hierro. Se pueden usar como sustituto de azúcar. Los dátiles en Medio Oriente son reconocidos como un poderoso afrodisíaco.

VEGETALES

Tubérculos
Muchos tubérculos como la papa, los nabos y las zanahorias se recomiendan por lo saludables y por los hidratos de carbono que aportan.

Estos vegetales aportan una buena cantidad de fibra dietética y vitaminas A, B, C y E.

Zanahoria (1, 2, 3, 4)

Ricas en betacaroteno. Reducen el riesgo de contraer cáncer; fortalecen la visión nocturna; ayudan a la piel y mejoran la resistencia de las mucosas.

Papas (2, 4, 5, 6)

Son un alimento de valor nutritivo extraordinario.

Camote (1, 3)

Ayuda a fortalecer la visión nocturna.

Betabel (1, 2, 4, 5, 9)

Ayuda a combatir la anemia y se recomienda a enfermos de leucemia.
Combate la fatiga crónica.

Nabos (1, 6, 7)

Son buenos para combatir la gota, artritis y el cáncer.

Hinojo (2, 8)

Sus hojas son muy aromáticas. Recomiendo que las uses para vinagretas o ensaladas.
Recomendables para problemas digestivos.

Alcachofas (2, 4, 6, 8)

Ricas en potasio, combaten la artritis y el reumatismo.
Ayudan a reducir el colesterol, sus hojas son ricas en fibra y tienen propiedades diuréticas.

Rábanos (1, 2, 7)

Ricos en potasio y azufre.

Buenos para prevenir el cáncer. No se recomiendan a personas con problemas de tiroides.

VEGETALES BLANDOS

Aguacates (1, 3, 4, 5, 9)

Son ricos en potasio y en vitamina E. Son buenos para el corazón, la piel y la circulación. Ayuda a suprimir los cambios de humor por síndrome premenstrual en las mujeres. Se cree que el aguacate no se recomienda a personas con sobrepeso, pero el consumo de calorías se compensa por la cantidad de antioxidantes que aportan. El tipo de grasa que contiene es monosaturada.

Pimientos (1, 3, 4)

Ricos en vitaminas C y A.
Buenos para los problemas de la piel y las membranas mucosas. Mejoran la visión nocturna y de colores (daltonismo).

Maíz dulce (elotitos tiernos) (2)

Rico en fibras y proteínas.
Se usa mucho en las dietas vegetarianas pues aporta energía y fibra.

Cebollas (morada, blanca, cambray y echalote) (4, 6, 7, 8)

Ricas en vitamina C. Buenas para reducir el colesterol y prevenir los coágulos de sangre. Muy útiles para la artritis, bronquitis, asma y problemas respiratorios.

Berros (1, 4, 6, 7, 8)

Ricos en potasio, ayudan a aclarar la voz, reducen la hipertensión, colesterol y previenen el cáncer, la gota y la artritis.

Ajo (1, 2, 3, 4, 5, 7, 8)

Protegen contra el cáncer, reducen los niveles de colesterol, la tensión sanguínea y ayudan a mejorar la circulación. Ayudan en casos de tos, bronquitis, catarro, dolor de garganta y asma.

Brócoli (1, 3, 4, 5, 6, 9)

Bueno para combatir el síndrome de fatiga crónica, anemia y estrés. Es muy recomendable para mujeres embarazadas. Previene el cáncer y ayuda a fortalecer el sistema inmunológico.

Coles (1, 2, 3, 5, 7, 9)

Ricas en hierro y vitamina C. Son buenas para las personas con úlceras en el estómago. Buenas para combatir la anemia y el acné. No recomendables para personas con problemas de tiroides.

Espinacas (1, 3, 5, 9)

Ricas en clorofila, buenas para prevenir el cáncer y mejorar la vista. Muy recomendables para mujeres embarazadas.

Pepino

Aunque desde el punto de vista nutritivo no aportan mucho, los pepinos ayudan a tener un buen cutis y son muy refrescantes.

Apio (4, 5, 6, 8, 9)

Bueno para combatir las reumas, artritis y gota. Es un alimento tranquilizante (antiestrés). En las semillas encuentras las mejores ventajas medicinales.

Lechugas (5, 7, 9)

Ricas en potasio y ácido fólico. Buenas para combatir el insomnio y la bronquitis.

Berros (1, 2, 4, 7, 8)

Ricos en vitaminas A, C y E.
Son muy recomendables para combatir las infecciones estomacales, intoxicaciones y anemia.
Útiles como protección contra el cáncer.

Tomates (1, 3, 4, 9)

Ricos en vitaminas C, E y potasio.
Buenos como protección contra el cáncer y los problemas de piel.

Aceitunas (1, 3, 4, 5)

Ricas en antioxidantes. Buenas para la piel, corazón y circulación.

FRUTAS SECAS Y SEMILLAS

La mayoría de las frutas secas, excepto el coco y los piñones, contienen ácido linoleico que contrarresta los depósitos de colesterol y se cree que protege contra enfermedades del corazón, diabetes y cáncer.

Almendras (1, 2, 3, 4)

Son ricas en grasas y minerales. De todas las frutas secas son las que más calcio contienen. Muy recomendables para personas sometidas a esfuerzos físicos.

Pepitas de girasol (1, 2, 4)

Ricas en proteínas, minerales y vitamina E. Aparte de que son muy nutritivas son muy ricas en sabor. Te recomiendo las incluyas en tus ensaladas.

Nueces (1, 2, 4)

Ricas en proteínas y grasas no saturadas. Una nuez aporta más del consumo diario recomendado de vitamina E.

Semillas de ajonjolí (1, 2, 4, 9)

Ricas en calcio y vitamina B. Tienen fama de ser afrodisíacas, lo que se puede explicar por su contenido de hierro y vitamina E. Son una fuente excepcional de calcio.

Coco (1, 2, 4)

Rico en fibra. No recomendables para personas con colesterol elevado. Es la fruta que más grasa saturada tiene.

Pistaches (1, 2, 4)

Ricos en vitamina E y potasio. Los salados contienen mucho sodio, son una buena fuente de proteínas.

Piñones

Ricos en vitamina E, potasio y proteínas. Contienen gran cantidad de grasa, son básicos en la cocina mediterránea. Aportan algo de fibra e importantes cantidades de magnesio, hierro, cinc, vitamina E y potasio.

Pepitas de calabaza (1, 2, 4, 9)

Ricas en hierro, fósforo y cinc. A pesar de que 100 grs de pepitas contienen 569 calorías, son muy nutritivas. Contienen menos grasa que el resto de los frutos secos. Muy recomendables para personas que hacen ejercicio porque es una excelente fuente de hierro y potasio. Debido a su alto contenido de cinc son buenas para los hombres ya que este mineral es esencial para la producción de esperma fértil además de ser una sustancia que protege la glándula prostática.

Cacahuates (1, 2, 4)

Ricos en proteínas y vitamina D. Los cacahuates son muy nutritivos tanto crudos como tostados. Los salados no son tan saludables. El cacahuate tiene tantas proteínas que 100 grs. aportan casi la mitad de las necesidades diarias.

LEGUMINOSAS

Las leguminosas son semillas que crecen en vaina; cuando están frescas se les considera vegetales (ejotes, chícharo) y una vez que se secan son conocidos como leguminosas.

En la mayoría de los casos las leguminosas son más ricas en proteínas que los granos y son una muy buena fuente de fibra soluble.

Ejotes (2, 3, 4, 8, 9)

Ricos en potasio y fosfato. Buenos para combatir problemas digestivos y para la potencia masculina.

SOYA

Rica en proteínas y antioxidantes. Muy útil como protección contra el cáncer, su contenido de antioxidantes protege contra el deterioro de los radicales libres previniendo enfermedades circulatorias y coronarias. Elemento básico en la cocina japonesa. De la soya se desarrollan muchos productos como bebidas, tofú, queso, miso, etc.

Tofú (1, 2, 4)

Se elabora a partir de la leche de soya coagulada; se desecha el suero y se comprime hasta formar el tofú.

El tofú es como camaleón pues absorbe los sabores de los ingredientes con los que se cocina.

Leche de soya (1, 2, 4)

Se elabora mojando, pulverizando, cocinando y filtrando la soya. Es una muy buena opción para las personas alérgicas a los lácteos.

Miso (1, 2, 4)

Es la pasta de soya fermentada. Se produce con soya cocinada mezclada con arroz y cebada o simplemente soya fermentada que se deja fermentar más hasta tomar la textura de una pasta gruesa.

Frijol, garbanzo y alubias (1, 4, 8)

Excelente fuente de proteínas, aportan casi la misma cantidad que un filete. Buenas para el corazón, circulación e hipertensión. Son considerados alimentos muy versátiles y saludables. Una muy buena opción para vegetarianos y diabéticos.

Chícharos (2, 5)

Ricos en tiamina y ácido fólico. Buenos para combatir el estrés, la tensión y la digestión.

GRANOS

Al contrario de lo que la mayoría de la gente pudiera pensar, los granos, panes y pastas son parte fundamental de una dieta saludable pues son una fuente muy importante de carbohidratos compuestos, que, como ya leíste en un inicio, son los preferidos y más necesitados por el ser humano.

El problema con este grupo de alimentos es el tipo de preparación y las salsas con las que se acompañan (tocino, crema, mantequilla = colesterol y grasas saturadas).

Es importante que consideres que mientras menos refinados (los granos) son más ricos en fibras.

Cebada (10, 2, 4, 5, 8)

Rica en fibra soluble y vitamina B. Es útil contra las enfermedades urinarias y el estreñimiento. Combate inflamaciones de garganta, esófago y aparato digestivo. Ayuda a reducir el colesterol y a proteger contra el cáncer.

Trigo Bulgur (2, 4)

Rico en proteínas, niacina y hierro. Se usa en el plato libanés llamado tabbouleh (tabule).

Trigo sarraceno (4)

Beneficia la buena circulación.

Cuscus (2, 4, 9)

Rico en almidón o niacina. Es uno de los

platos más populares en el Norte de África. Se prepara a partir de la parte interior del grano de trigo y se puede usar en platos dulces y salados.

Maíz (2)
Rico en almidón y potasio.

Avena (4)
Rica en calcio, potasio y magnesio.
Reduce niveles de colesterol en la sangre.

Centeno (3, 5)
Rico en fibra, vitamina C y cinc.

Sémola (2, 3, 4, 9)
Rica en almidón y proteínas. Se produce extrayendo las partículas más gruesas del endoesperma del trigo; se usa mucho en la India y Medio Oriente.

Trigo (2, 5)
Rico en vitamina B y E.

Cebada (2, 5)
Una buena fuente de fibra. Muy conocido porque con ésta se elabora la cerveza.

LAS PASTAS

Te voy a contar una de las anécdotas de la gastronomía: supuestamente la pasta tiene su origen en Asia y no en Europa (Italia), como se dice. Cuenta esta anécdota que el que llevó la pasta a Europa fue Marco Polo en 1295, pero en fin, dejemos que entre ellos arreglen esta situación. Lo que sí es de llamar la atención es la cantidad de pastas que existen. Desde las tradicionales italianas hechas con semolina, hasta las orientales hechas con harina de arroz.

EL ARROZ

El arroz ha sido durante siglos un elemento fudamental en Oriente donde se utiliza como la base de una buena nutrición.
Algunas de las principales variedades de arroz son el de grano largo, arborio (italiano se usa para el risotto), integral, basmati (de la cocina india; se usa mucho en ensaladas), arroz de grano corto: japonés (sushi), arroz glutinoso (oriental se usa en postres), arroz tailandés o jazmín.

Pa' Picar

TACOS, SUSHI, HAMBURGUESAS, SANDWICHES, PIZZAS Y ENTRADAS

CEVICHE DE PESCADO

Rendimiento: 4 porciones · Tiempo de preparación: 18 min.

Como todos sabemos el pescado es rico en proteínas, minerales y vitaminas, sobre todo en fósforo, yodo, flúor, cobre, vitamina A, magnesio, hierro, cinc, selenio y vitaminas del grupo B. Además de que la grasa del pescado se compone, en su mayor parte, de ácidos grasos poliinsaturados omega-3, es decir, grasas buenas para la salud. Combinando los nutrientes del pescado con los sabores, colores y texturas de algunos vegetales, obtenemos un platillo muy rico y balanceado.

Salsa
2 piezas chiles serranos sin semillas
1/4 taza jugo de limón verde
4 cucharadas jugo de naranja
1 cucharada salsa de soya
1 cucharada aceite de oliva
1 cucharada tallos de cilantro bien picados
1/2 cucharadita sal
Pimienta negra al gusto

Para el ceviche
5 cucharadas hojas de cilantro picado
3 cucharadas cebolla morada picada
1 pieza pepino sin semillas picado en cubos chicos
2 piezas tomates sin semillas picados en cubos chicos
1 1/2 taza pescado blanco de sabor suave en cubos medianos
ejemplos de pescado: blanco huachinango, robalo, blanco de nilo, trucha

Para preparar la salsa del ceviche:
Tuesta ligeramente los chiles, colócalos en un sartén caliente y muévelos ocasionalmente hasta que se les formen burbujas o tomen un color ligeramente oscuro en la piel. Una vez tostados lícualos con el resto de los ingredientes para la salsa y conserva por separado.

Para preparar el ceviche:
Vacía todos los ingredientes del ceviche en un recipiente y justo antes de servir agrega la salsa de ceviche que preparaste anteriormente y revuelve.

** E (K/cal) - 138	Pt (g) - 8.52	A.GrSt(g) - 0.21
Col(mg) - 0	Az(g) - 0.74	Fb(g) - 0.62

CEVICHE DE CAMARÓN

Rendimiento: 4 porciones · Tiempo de preparación: 15 min.

Pochar: Técnica de la nueva cocina saludable que se usa básicamente para cocinar carnes blandas, como pescados y mariscos, a mi me gusta mucho usarla para cocinar frutas.

Esta técnica consiste en sumergir el alimento en un líquido que está justo por debajo de su punto de ebullición, o sea antes de hervir, esto sucede cuando la superficie del líquido presenta pequeñas burbujas, te recomiendo que cuando uses esta técnica de cocción le agregues sabor al agua con jugos de frutas, hierbas de olor, vinagres, algún licor o vino, sabores fuertes como en este caso, el jengibre.

1 taza camarones
2 cucharadas jengibre picado
1 pieza mango picado en cubos chicos
1/3 taza vinagre de arroz
1/3 taza aceite de oliva
1/4 taza jugo de limón
c/s hojuelas de chile seco rojo
1/2 pieza apio picado en cubos chicos
Sal y pimienta blanca al gusto
Tequila opcional

Pocha los camarones en agua con el jengibre sólo por aproximadamente un minuto o hasta que estén ligeramente firmes.

Pica el camarón en cubos chicos y mezcla en un tazón con el resto de los ingredientes.

TIPS:
Para que se vea aún más original sirve el ceviche de camarón y mango en unos caballitos tequileros.

El jengibre sin pelar lo puedes envolver en papel adherible para refrigerarlo hasta por 3 semanas o puedes congelarlo hasta por 6 meses.

** E (K/cal) - 110	Pt (g) - 4.20	A.GrSt(g) - 1.18
Col(mg) - 28	Az(g) - 0.46	Fb(g) - 1.10

Torre de Salmón y Atún

Rendimiento: 4 porciones · Tiempo de preparación: 30 min

Es una entrada ideal, alta en proteínas proporcionadas por el salmón y atún, además las semillas de ajonjolí son ricas en calcio, hierro y vitaminas B y E.

1 1/2 cucharadita ajo picado
1 cucharada echalote o cebolla picada
4 cucharadas aceite de oliva
1/4 taza jugo de limón
2 cucharaditas eneldo picado
Chile serrano finamente picado (opcional)
1 taza salmón fresco en cubos chicos
1 cucharada aceite de ajonjolí
2 cucharadas ajonjolí negro o blanco

1 taza atún fresco en cubos
1/2 cucharadita wasabe en polvo
2 cucharadas agua
2 cucharadas mayonesa light
1 cucharada cebollín picado
2 piezas aguacate en cubos
2 cucharadas yogurt natural c/s
1/2 cucharadita jengibre picado
1 pieza pepino

Para preparar el salmón:
Divide en dos porciones el ajo y el echalote.
Mezcla una mitad de ajo y echalote con el aceite de oliva y la mitad del jugo de limón, agrega el eneldo, el chile serrano y el salmón en cubos y conserva por separado. Vacía el sobrante de ajo y echalote en otro recipiente agregando el aceite de ajonjolí y la otra mitad del jugo de limón, integra y después agrega el atún.
Mezcla el polvo de wasabe en el agua hasta formar una pasta con textura de pomada y revuélvela con el resto de los ingredientes.

Para una mejor presentación:
Toma un aro y colócalo sobre el plato de presentación. Vacía el salmón dentro del aro y oprime ligeramente. Ahora encima pon el atún y oprime nuevamente. Por último agrega la mezcla de aguacate con mayonesa de wasabe. Refrigera por 5 minutos y retira el aro.

TIPS. El cebollín lo puedes sustituir con rabos de cebolla cambray. El wasabe está hecho a base de rábano blanco, planta originaria del Japón, es de color verde y sabor picante. Puedes encontrar wasabe en tiendas orientales o en autoservicios en forma de pasta o en polvo.

```
** E (K/cal) - 172  Pt (g) - 13.77  A.GrSt(g) - 2.05
   Col(mg) - 29  Az(g) - 0.24  Fb(g) - 0.58
```

Camarones con Mayonesa al Curry sobre Piñas a la Plancha

Rendimiento: 4 Porciones · Tiempo de preparación: 15 min.

20 piezas camarones medianos
1 cucharadita aceite Capullo
4 rebanadas piñas en almíbar
3 cucharadas mayonesa al curry

Quítale la cáscara a los camarones, córtalos en el lomo y límpialos con agua, pon a hervir una olla con agua y una vez que llegue a ebullición mete los camarones, déjalos en el agua por dos minutos, escúrrelos y mételos al refrigerador tapados.

Agrega el aceite Capullo a las piñas por los dos lados y ponlas en un sartén a fuego alto hasta que empiecen a cambiar de color.

Mezcla la mayonesa al curry con los camarones y sírvelos encima de las piñas, puedes decorar con cubitos de jitomate.

** E (K/cal) - 109   Pt (g) - 7   A.GrSt(g) - 0.1
Col(mg) - 44   Az(g) - 0.15   Fb(g) - 0.6

ROLLOS PRIMAVERA ESTILO VIETNAMITA

Rendimiento: 4 Porciones · Tiempo de preparación: 0:15 min.

40 g pasta de arroz Vermicelli
60 g camarones limpios (6 pzas.)
40 g zanahoria en juliana
1 cucharadita sal
28 g lechuga en juliana
1 cucharada jugo de limón
1 cucharadita azúcar
8 piezas hojas de arroz
8 ramas cilantro

Pon a calentar un litro de agua y una vez que llegue a ebullición, vacía la pasta, retírala con un colador, pásala por agua fría y conserva la pasta en un tazón por separado.

En la misma olla que cociste la pasta pon a cocer los camarones, se tardan 2 min. aprox., una vez cocidos córtalos a la mitad pero a lo largo.

En otro tazón vacía la zanahoria y espolvoréala con la mitad de la sal, esto hará que suelten el exceso de líquido, escurre las zanahorias y mézclalas con la pasta, lechuga, jugo de limón, azúcar y el resto de la sal.

Por último, deja entibiar el agua en la que se coció el camarón y la pasta, una vez que esté tibia mete las hojas de arroz y colócalas en una superficie plana con un trapo húmedo, toma el relleno y colócalo en uno de los extremos de las hojas de arroz como si hicieras un taco. Enrolla las hojas de arroz, dobla los extremos laterales, agrega el cilantro termina de enrollar y refrigera, tapado, hasta antes de servir.

OJO: Puedes sustituir los camarones por caldo de res o pollo.

| E (kcal) - 136 | Pt (g) - 5 | A.GrSt - 0.1 |
| Col (mg) - 15 | Az (g) - 0.0 | Fb (g) - 0.9 |

Triángulos de Jícama con Frutas

Rendimiento: 20 porciones · Tiempo de preparación: 10 min.

1/2 pieza jícama
3 cucharadas jugo de limón
2 cucharadas almíbar
4 piezas duraznos en almíbar
3 rebanadas piña en almíbar
2 piezas jitomate
1/4 cucharadita sal
Hojas de menta

Corta las jícamas en triángulo y ponlas en un recipiente con agua y una cucharada de jugo de limón.

En un tazón mezcla el resto del jugo de limón con el almíbar de los duraznos, pica finamente las frutas, el jitomate y agrégalos al tazón, espolvorea la sal y refrigera por 5 minutos.

Sirve la mezcla de frutas encima de los triángulos de jícama y decora con una hoja de menta.

** E (K/cal) - 26	Pt (g) - 7	A.GrSt(g) - 0
Col(mg) - 0	Az(g) - 4	Fb(g) - 0.4

Tostadas de Salmón Ahumado

Rendimiento: 4 Porciones · Tiempo de preparación: 10 min.

2 cucharadas cebolla picada
1/2 cucharadita ajo picado
4 cucharadas apio picado
3 cucharadas jugo de limón
2 cucharadas aceite de oliva
1/2 taza salmón ahumado en cubos
1/4 taza jitomate picado en cubos sin semilla
2 piezas tortillas de harina o láminas de Wonton

Vacía en un tazón la cebolla, ajo y apio, agrega el jugo de limón y revuelve, ahora poco a poco agrega el aceite de oliva mientras lo mezclas con el batidor globo hasta integrar.

Agrega, en el tazón, el salmón ahumado y el jitomate, revuelve con una cuchara y mete al refrigerador por 5 minutos.

Pon en un comal sin grasa y a fuego bajo las tortillas de harina o las láminas de wonton, cámbialas de lado hasta que estén crujientes pero sin que se quemen.

Sirve el salmón sobre las tostadas, tortillas u obleas.

Láminas de Wonton: Masa de harina y agua que se usa mucho en la cocina oriental. Puedes encontrarla en tiendas de comida oriental.

**E (K/cal) - 132   Pt (g) - 6   A.GrSt(g) - 0.7
Col(mg) - 7   Az(g) - 0   Fb(g) - 0.6

Huaraches de Nopales

Rendimiento: 4 Porciones · Tiempo de preparación: 0:18 min.

1 cucharadita aceite Capullo
1/4 cucharadita sal
4 piezas Nopales
1/2 taza frijoles refritos
1/2 taza queso panela Lala rallado
3 cucharadas cebolla morada picada
3 cucharadas cilantro
4 cucharadas salsa verde cruda

Pon el aceite Capullo en un sartén, espolvorea con sal los nopales por ambos lados y ponlos en el sartén a fuego medio hasta que se cocinen.
Cubre un lado de cada nopal con los frijoles refritos (calientes), espolvorea con el queso panela Lala, cebolla y cilantro, para terminar agregando la salsa verde.

** E (K/cal) - 169	Pt (g) - 11	A.GrSt(g) - 4
Col(mg) - 32	Az(g) - 0	Fb(g) - 7

Chiles Anchos Rellenos de Frutas Tropicales

Rendimiento: 4 Porciones · Tiempo de preparación: 0:12 min.

4 piezas chiles anchos hidratados en agua
4 rebanadas piñas en almíbar
1 pieza manzana en cubos
3 piezas de durazno en almíbar
1/2 taza crema Lala
1 cucharada miel de abeja
3 cucharadas nuez picada

Corta por un lado los chiles y quítales las semillas, corta en cubos chicos las frutas.
Vacía en un tazón la crema Lala, miel de abeja y nuez picada y revuelve hasta integrar, ahora agrega las frutas al tazón y rellena los chiles con esta mezcla, enfríalos y sirve.

** E (K/cal) - 252	Pt (g) - 11	A.GrSt(g) - 0.4
Col(mg) - 0	Az(g) - 18	Fb(g) - 11

LANCETAS DE POLLO AL AXIOTE

Rendimiento: 4 porciones · Tiempo de preparación: 0:25 min.

El axiote o bija, como se le conoce en España, proviene del annato que es el fruto de un árbol originario de Latinoamérica y las Antillas. Actualmente se utiliza como colorante natural para la margarina, la mantequilla, el queso y los caramelos.

1/2 barra pasta de axiote
1/2 taza jugo de naranja
1/4 taza vinagre blanco
2 dientes ajo
1/2 cucharadita tomillo seco
20 piezas fajitas de pollo
1/4 cucharadita sal y pimienta blanca
20 piezas lancetas de madera
1/2 pieza piña natural

Licua la pasta de axiote con el jugo de naranja, el vinagre blanco y el ajo. Ensarta las fajitas en las lancetas de madera previamente mojadas.

Cúbrelas con la mezcla de axiote y agrega la sal y la pimienta blanca. Espolvorea con tomillo las fajitas de pollo y cocina en la parrilla.

TIP. Para evitar que tus lancetas de madera se quemen, colócalas dentro de agua durante una hora antes de utilizarlas y con la humedad que han absorbido no se te quemarán.

** E (K/cal) - 112 Pt (g) - 6.79 A.GrSt(g) - 1.27
Col(mg) - 22 Az(g) - 5.42 Fb(g) - 1.61

BROCHETAS CON SALSA DE CACAHUATE

Rendimiento: 4 porciones · Tiempo de preparación: 0:60 min.

Ésta es una deliciosa receta muy popular en Indonesia, se le conoce como Saté o Satay.
A la salsa hoisin también se le conoce como salsa Pekín, tiene una textura pesada y se hace de germen de soya, ajo, chiles y especias. Se usa mucho en Oriente para marinar carnes rojas, aves y productos del mar. El aceite de cacahuate tiene un sabor ligeramente fuerte y está compuesto en su mayor parte por ácidos grasos monoinstarudos, lo cual es un beneficio para nuestra salud.

Brochetas	Salsa de cacahuate
20 piezas (10 gr c/u) fajitas de res o pollo	2 dientes ajo
4 cucharadas echalote o cebolla	1 taza cacahuate pelado
3 cucharadas jengibre	1/2 taza aceite de cacahuate
2 cucharadas cúrcuma	1/4 taza azúcar
Sal al gusto	1/2 taza salsa hoisin
Pimienta negra al gusto	1/4 taza pasta de tamarindo o jarabe
1 cucharadita azúcar mascabado	de tamarindo
2 cucharadas aceite de ajonjolí	1/4 taza agua

Para preparar las brochetas:
Licúa todos los ingredientes menos la carne y marina la carne con la mezcla anterior de 40 minutos a una hora.

Para preparar la salsa de cacahuate:
Saltea el ajo sin coloración. Tuesta ligeramente el cacahuate. Mezcla el ajo y cacahuate, agrega la salsa hoisin, el azúcar y la pasta de tamarindo. Después agrega el agua y licua mientras añades el resto del aceite de cacahuate.

Para armar el platillo:
Ensarta la carne en lancetas de madera y parrilla las lancetas o mételas al horno sobre una rejilla.

Presentación:
Monta un plato con las lancetas, báñalas con la salsa de cacahuate.

TIP. La cúrcuma es de la familia del jengibre, es de sabor, olor y color intenso. Es un ingrediente básico en la elaboración del curry, así como para darle color a la mostaza americana. La puedes conseguir en polvo, sin embargo, yo te la recomiendo fresca.

** E (K/cal) - 371	Pt (g) - 9.35	A.GrSt(g)
Col(mg) - 25	Az(g) - 6.42	Fb(g) - 1.21

TAQUITOS DE REQUESÓN

꙳

Rendimiento: 4 porciones · Tiempo de preparación: 0:18 min.

El requesón es un tipo de queso no madurado elaborado generalmente del suero de la leche.
Contiene un bajo contenido de grasa. El queso de cabra fresco tiene un sabor ligeramente fuerte.
Ambos contienen mucha humedad por lo que te recomiendo comprarlos en establecimientos de rotación
rápida para asegurar su frescura.

1/2 taza requesón o queso de cabra
1/4 taza leche descremada
3 cucharadas cebolla picada
3 cucharadas cilantro picado
1 cucharadita chile serrano picado
6 piezas tortillas de harina integral
Aceite Capullo para freír o sólo para barnizar
Sal y pimienta blanca al gusto

** E (K/cal) - 175	Pt (g) - 7.73	A.GrSt(g) - 1.21
Col(mg) - 7	Az(g) - 0.54	Fb(g) - 0.22

Vacía en un tazón el requesón, la leche, la cebolla, el cilantro y el chile. Mezcla perfectamente y rectifica el sabor si es necesario con sal y pimienta blanca.

Extiende las tortillas y coloca en el extremo de cada una de ellas una porción de la mezcla de queso, enrolla apretando la tortilla como al hacer sushi. Al terminar de enrollar corta los extremos laterales de las tortillas y después corta a la mitad los rollos, ensarta dos piezas por palillo y barniza con el aceite Capullo Mételos al horno a temperatura alta (220° C) 430° F sobre una rejilla o fríelos en aceite caliente.

TORTITAS DE SURIMI DE CANGREJO CON PICO DE GALLO Y SOYA

Rendimiento: 4 porciones · Tiempo de preparación: 0:18 min.

1 cucharada salsa Inglesa
3 cucharadas jugo de limón
1/4 cucharadita chile piquín
1/8 cucharadita sal
3 piezas claras de huevo
8 barras surimi de cangrejo desmenuzadas
1/4 pieza cebolla en juliana
2 cucharadas cilantro picado
1 cucharadita aceite Capullo

Vacía en un tazón la salsa inglesa, el jugo de limón, chile piquín y sal, mézclalos entre sí y agrega las claras de huevo, mezcla con un batidor globo y una vez que se hayan integrado agrega el surimi de cangrejo, la cebolla y cilantro.

Mezcla con una cuchara, ahora separa en 4 porciones con la mano y escurre el exceso de líquido de cada una de las tortitas, para después ponerlas en un sartén, previamente engrasado con aceite Capullo, procura voltear las tortitas de lado una vez que se hayan cocinado.

Retira del fuego, puedes servirlas frías o calientes acompañadas de la salsa de pico de gallo y soya.

```
** E (K/cal) - 268   Pt (g) - 40   A.GrSt(g) - 0.0
   Col(mg) - 69   Az(g) - 0.0   Fb(g) - 0.2
```

Hongos Portobello con Jitomates y Queso de Cabra

Rendimiento: 4 porciones · Tiempo de preparación: 0:15 min.

1 cucharadita Aceite Capullo	3 cucharadas cebolla morada en cubos
2 cucharadas ajo picado	1/3 taza jitomates en cubos
4 piezas hongo Portobello o champiñones	1 cucharada albahaca picada
1/8 cucharadita sal	20 g queso cabra desmoronado o queso crema Lala

Pon en tu sartén el aceite Capullo, para después agregarle una cucharada de ajo picado, pon el fuego bajo y agrega los hongos Portobello espolvoréalos con la sal y cubre el sartén con una tapa, deja los hongos por dos minutos y después voltéalos de lado, retíralos del fuego y ponlos en una charola.

Ahora en el mismo sartén agrega el resto del ajo, la cebolla morada, el jitomate y la albahaca, agrega un poco de aceite Capullo y deja en el fuego por unos tres minutos mientras mueves constantemente.

Cubre cada uno de los hongos con el jitomate y queso de cabra, mete la charola al horno sólo para calentar, puedes decorar con una hojitas de albahaca.

** E (K/cal) - 46 Pt (g) - 2	A.GrSt(g) - 0.0
Col(mg) - 5 Az(g) - 0.0	Fb(g) - 0.8

Apios con Surimi y Mayonesa al Chipotle

Rendimiento: 4 Porciones · Tiempo de preparación: 0:10 min.

Esta es una opción muy fresca para un día soleado

3 ramas apio firmes
3/4 taza surimi de cangrejo picado
1 cucharadita cilantro picado
2 cucharaditas mayonesa
1/4 cucharadita mostaza
1 cucharadita jugo de limón
1/4 cucharadita adobo de chile chipotle
1/4 cucharadita sal
1/4 cucharadita pimienta

Corta los apios en diagonal y vacía en un tazón el surimi de cangrejo picado, agrégale la mayonesa, el jugo de limón, el cilantro, la mostaza y el adobo de chile chipotle, rectifica el sabor con sal y pimienta y sirve encima de los apios.

** E (K/cal) - 76 Pt (g) - 7	A.GrSt(g) - 0.3
Col(mg) - 19 Az(g) - 0.0	Fb(g) - 0.7

Arepas Venezolanas

Rendimiento: 4 porciones · Tiempo de preparación: 0:25 min.

La arepa, cuyo origen se le atribuye a los indígenas, es el resultado de una masa hecha de maíz cocido y molido. Los indígenas lo molían entre dos piedras lisas y llanas y luego creaban pequeñas bolas que asaban en un "aripo", (especie de plancha un poquito curva fabricada en barro, que se utiliza para la cocción). Del nombre de este utensilio deriva la palabra "Arepa".
Los ingredientes básicos que se utilizan para preparar las arepas son harina, sal y agua, pero en cada región de Venezuela las preparan de manera diferente, pero en esencia es la misma y singular arepa. Similar a las gorditas o sopesitos mexicanos.

Arepas
1/2 taza granos de elote congelados
1/2 taza agua
1 taza harina de maíz
1 taza leche descremada
1/2 cucharadita sal
1 cucharadita orégano seco
1 cucharada aceite Capullo

Complemento
2 cucharadas aceite de oliva
3 cucharadas ajo picado

1 pieza chile guajillo picado
12 piezas (300 gr.) camarones limpios
o carne de cerdo
1 pieza limón
1/4 taza vino blanco
3 hojas epazote fresco (o laurel)
1/4 taza queso manchego Lala

Para decorar:
Salsa de tomate verde al gusto
Crema Lala al gusto
Cilantro al gusto

Para preparar las Arepas:
Pon en una licuadora o procesador los granos de elote con el agua y procesa hasta formar una pasta. Mezcla en un tazón la harina de maíz y la leche. Junta la pasta de elote con la masa de maíz, agrega la sal y el orégano, la masa debe quedar suave y no quebradiza en las orillas.
Divídela en ocho porciones circulares, oprímelas hacia abajo (de ½ cm.) y márcalas en una parrilla engrasada (en este momento puedes enfriarlas y envolver en papel plástico y congelar hasta por tres meses, el día que las uses puedes terminar la cocción). Para terminar la cocción, métetelas al horno aproximadamente a 160º C (320º F) hasta que tomen un color ligeramente dorado. (Las arepas pueden hacerse con carne de cerdo, pollo, mariscos o plátanos el límite es tu sabor).

Para preparar los camarones o carne de cerdo:
Saltea el ajo y chile guajillo en el aceite de oliva, agrega los camarones o carne de cerdo y cocina a fuego alto. Cuando estén casi cocinados agrega el jugo de limón, el vino blanco y el epazote, retira del fuego y sirve sobre las arepas, espolvorea el queso manchego Lala, añádeles la salsa de tomate verde, crema Lala y cilantro al gusto.

** E (K/cal) - 121	Pt (g) - 4.96	A.GrSt(g) - 0.65
Col(mg) - 14	Az(g) - 0.13	Fb(g) - 0.82

CHILE POBLANO RELLENO DE FRIJOLES NEGROS CON PLÁTANO MACHO Y QUESO

Rendimiento: 4 porciones · Tiempo de preparación: 0:35 min.

El chile poblano es uno de los más populares en México. Seco se le conoce como chile ancho y es muy común el usarlo para rellenar. También se acostumbra cortarlo en rajas o utilizarlo para sopas o salsas. Fresco se debe de asar y pelar antes de usarlo.

Chiles	Salsa
4 piezas chiles poblanos	2 cucharadas aceite Capullo
2 dientes ajo	2 dientes ajo
1/4 pieza cebolla blanca picada	1 pieza hoja de laurel
1 pieza plátano macho en cubos	1/4 taza vino blanco
1 lata frijoles (porotos) negros precocidos	1 lata puré de tomate
1 taza queso panela Lala, rallado	Hojas de albahaca picadas al gusto
1/4 taza hojas de cilantro picadas	

Para preparar los chiles:
Tuesta los chiles a fuego directo hasta que la piel cambie de color, mete en una bolsa de plástico y ciérrala, deja por un par de minutos hasta que los chiles suden y retira la piel.
En caso de usar chiles de lata o congelados te ahorras todo el procedimiento anterior.
Saltea los ajos, la cebolla picada y el plátano macho en cubos en el aceite Capullo. Antes de que cambien de color agrega los frijoles, deja en el fuego hasta calentar, agrega el queso panela Lala y espolvorea con el cilantro. Rellena los chiles y conserva por separado.

Para preparar la salsa:
Pica y saltea los ajos, agrega el vino blanco y las hojas de laurel, deja que reduzca el vino a la mitad y agrega el puré de tomate, deja que hierva y agrega las hojas de albahaca, retira del fuego y sirve como base para la polenta y los chiles rellenos.

Para presentar el platillo:
Pon salsa al gusto en el plato, coloca el chile poblano relleno. Decora con hojas de albahaca y cilantro.

TIP. Todos los chiles tienen un alto contenido de vitamina C. Los chiles rojos, además, contienen vitamina E. Desde el punto de vista curativo se utilizan en cremas para tratamientos de artritis y dolores musculares por las propiedades de su aceite.

```
** E (K/cal) - 108  Pt (g) - 4.40  A.GrSt(g) - 0.26
   Col(mg) - 0  Az(g) - 1.40  Fb(g) - 2.04
```

TACOS CAMPECHANOS CON BISTEC DE RES, CHORIZO DE PAVO (O CERDO) Y CHICHARRÓN

Rendimiento: 4 porciones · Tiempo de preparación: 0:15 min.

Ésta es una belleza de receta, cien por ciento de antojo y se sirve acompañada de una salsa verde cruda. El chicharrón (grasa y piel del lomo de puerco, fritas hasta que queden secas y crujientes) es una excelente manera de agregar una capa más de sabor y textura a un platillo.

8 tortillas de maíz
1 taza de chorizo desmenuzado (210 g)
2 cucharadas de aceite de oliva
1 cucharadita de orégano
1 cucharadita de ajo en polvo
Sal y pimienta al gusto
4 bisteces de res (120 g)
Chicharrón de cerdo crujiente al gusto

Cocina el chorizo en un sartén hasta que cambie ligeramente de color. Mientras tanto, mezcla el aceite de oliva con orégano y ajo en polvo, barniza los bisteces de res con la mezcla y espolvoréalos con sal y pimienta. Una vez cocinado el chorizo, retíralo del sartén y pícalo finamente. En ese mismo sartén cocina la carne de res y después pícala finamente. Haz los tacos de la forma tradicional con las Tortillas de Maíz Blanco y agrégales chicharrón picado.

** E (K/cal) - 593.1	Pt (g) - 54.6	A.GrSt(g) - 8.5
Col(mg) - 127	Az(g) - 0.0	Fb(g) - 0.9

Tacos de Pescado o Pollo al Pastor Acompañados de Piña a la Parrilla

Rendimiento: 4 porciones · Tiempo de preparación: 0:15 min.

La receta tradicional de los tacos al pastor, sólo que mejorada y hecha con pollo o pescado.
Para lograr las marcas perfectas del asador, asegúrate de cepillarlo bien para que quede muy limpio.
Rocía levemente los trozos de piña con aceite Capullo en aerosol para evitar que se peguen y cocina
cada lado a fuego medio durante 5 minutos.

8 tortillas de maíz
1/2 taza de jugo de naranja
1 chile guajillo sin semillas y sin rabo
1/4 cebolla blanca
1 cucharadita de aceite Capullo
1/2 barra de pasta de axiote
1 cucharada de vinagre de arroz o manzana
1 chile de árbol seco sin semillas y sin rabo
1 diente de ajo
4 rebanadas de pollo
o de filete de pescado (huachinango, mero, dorado, etc.)

Mete a la licuadora la pasta de axiote, el jugo de naranja, vinagre, chile guajillo y de árbol, la cebolla y el ajo. Licua todos estos ingredientes hasta formar una salsa uniforme. Vacía en un tazón los filetes de pescado o pechugas de pollo y cúbrelos con la salsa de axiote. Barniza un sartén con aceite y precaliéntalo, cocina el pescado o pollo y córtalo en tiras. Calienta las Tortillas de Maíz y sírvelas en forma de tacos.

```
** E (K/cal) - 548.8   Pt (g) - 50.7   A.GrSt(g) - 8.1
   Col(mg) - 90.8   Az(g) - 6.2   Fb(g) – 3
```

QUESADILLAS DE CAMARONES ADOBADOS

Rendimiento: 4 porciones · Tiempo de preparación: 0:15 min.

8 tortillas de harina
1/2 cebolla blanca mediana
1/2 taza de puré de tomate
1/4 taza de vinagre
Sal y pimienta al gusto
12 camarones medianos limpios
8 rebanadas de aguacate
2 chiles guajillos sin semillas y sin rabos
2 dientes de ajo
1/4 cucharadita de orégano
1 cucharada de miel de abeja
1 cucharada de aceite de oliva
1/2 taza de queso manchego Lala rallado

Desvena los camarones con un cuchillo pequeño. Haz un corte poco profundo a lo largo del lomo de los camarones para dejar la vena al descubierto. Sácala con el cuchillo, un palillo de dientes o con los dedos.

Asa los chiles, la cebolla y el ajo en un comal o sartén hasta que cambien ligeramente de color. Agrega el puré de tomate, orégano, vinagre y la miel de abeja. Ponlo en la licuadora y licua perfectamente (puedes colar la salsa si la quieres más tersa). Espolvorea los camarones con sal y pimienta. Precalienta ligeramente el aceite en un sartén y cocina los camarones. Cuando estén casi cocinados, baja el fuego y agrega el adobo y el queso Lala; deja que se funda el queso para después servir sobre las Tortillas de Harina precalentadas en el comal. Agrega el aguacate y dobla las tortillas para hacer estas deliciosas quesadillas.

```
** E (K/cal) - 512.2   Pt (g) - 30.6   A.GrSt(g) - 9.9
   Col(mg) - 125.4   Az(g) - 2.8   Fb(g) - 2.6
```

Tacos Orientales de Pollo

Rendimiento: 4 porciones · Tiempo de preparación: 0:20 min.

Éste es un platillo que en lo personal me fascina, es muy fácil de hacer y además muy saludable.
En lugar de usar tortilla para el taco en esta ocasión se usa lechuga.

Tacos
2 cucharadas de aceite Capullo
4 piezas de pechuga de pollo
1/2 taza apio en cubos chicos
1/2 taza zanahoria en cubos chicos
2 piezas chile de árbol seco sin semillas
2 cucharadas echalote picado
1 cucharada jengibre picado
1/2 taza jícama en cubos chicos
3 cucharadas salsa de soya
1/4 taza jugo de naranja
3 cucharadas jugo de limón
1/4 taza cacahuate limpio
1 pieza lechuga orejona o romana

Para preparar los tacos de lechuga:
Corta el pollo en cuadros chicos y conserva en refrigeración.

En un poco de aceite Capullo saltea el jengibre y el echalote, agrega el pollo y las verduras picadas. Deja en fuego moviendo constantemente hasta que se cueza el pollo. Agrega el jugo de limón, el jugo de naranja, la salsa de soya y el chile seco. Baja el fuego a medio y deja reducir los líquidos por un par de minutos más. Agrega los cacahuates, mezcla todos los ingredientes y sirve sobre hojas de lechuga previamente lavadas, desinfectadas y secas.

Para armar el platillo:
Forma tacos usando la lechuga como si fuera tortilla.

```
** E (K/cal) - 96   Pt (g) - 13.48   A.GrSt(g) - 0.48
   Col(mg) - 30   Az(g) - 0.68   Fb(g) - 0.92
```

SUSHI

Sushi es un platillo de origen japonés, que se hace con arroz al vapor mezclado con vinagre de arroz dulce. A esta mezcla de arroz al vapor con vinagre de arroz dulce se le llama sushi meshi y es la base para hacer sushi de diferentes sabores.

Una de las variedades de sushi es el nigiri sushi, el cual consiste en rebanadas delgadas de pescado crudo sazonado con wasabi y envuelto en el arroz "sushi meshi". Se puede adornar con ajonjolí o con una tira de alga nori alrededor. Otra variedad es el hosomaki que consiste en rollos de sushi delgados. También está el futomaki sushi que son rollos de sushi gruesos. Para hacer estos rollos se utilizan variedad de vegetales picados, pescado crudo, tofú, etc., que son envueltos dentro del arroz "sushi meshi" y éste a la vez envuelto en hoja de un alga llamada nori. Luego los rollos son rebanados y servidos como una entrada, botana o plato fuerte.

TIP: Para conservar el sushi en refrigeración debes envolver y sellar muy bien los rollos no rebanados en papel plástico, estos a su vez colócalos en un recipiente con una manta húmeda (lo cual evitará que se reseque el alga y que el arroz se ponga duro). Cierra el recipiente para que no absorba otros olores y rebánalo cuando lo vayas a consumir.

Sushi en Rollo de Atún Fresco Envuelto en Mango

Rendimiento: 26 rollos · Tiempo de preparación: 0:55 min.

Arroz para sushi
1/4 taza vinagre blanco o de arroz
1 1/2 tazas azúcar
1 cucharadita sal
2 tazas arroz de grano corto
2 1/4 tazas agua

Chiles toreados
1 cucharada aceite de oliva
4 piezas chiles serranos en juliana
2 piezas jugo de limón
2 cucharadas salsa de soya

Para armar el rollo de sushi
2 tazas arroz para sushi cocido
200 gramos atún fresco en cortes pequeños
Jengibre en salmuera al gusto
Rabos de cebolla cambray al gusto
Chiles toreados al gusto
15 láminas mango fresco (en láminas delgadas)
Ajonjolí al gusto

Para preparar el arroz para sushi:
Mezcla el vinagre, el azúcar y la sal en una olla a fuego medio hasta que el azúcar se disuelva. Retira del fuego y deja enfriar.
Enjuaga el arroz, hasta que el agua salga limpia, deja escurrir y colócalo en una olla.
Agrega el agua, tapa la olla y prende el fuego a temperatura media, el agua no debe hervir.
Retira del fuego y vacíalo en una charola o recipiente, déjalo enfriar. Una vez frío agrega la mezcla del vinagre y mueve con una pala de madera evitando romper el arroz, cubre con una toalla húmeda.

Para preparar los chiles toreados:
Saltea en el aceite de oliva los chiles serranos por un par de minutos, agrega el jugo de limón y la salsa de soya y deja que reduzca a la mitad.

Para preparar el sushi roll:
Extiende el arroz sobre un tapete para hacer sushi cubierto con una bolsa de plástico, sobre uno de los bordes coloca el atún, los chiles toreados, el jengibre y los rabos de cebolla cambray, enrolla y coloca sobre el tapete las láminas de mango, coloca en un extremo el rollo y enrolla ahora sobre el mango, espolvorea con ajonjolí y corta para servir.

** E (K/cal) - 197	Pt (g) - 2.16	A.GrSt(g) - 0.16
Col(mg) - 0	Az(g) - 21.18	Fb(g) - 0.60

Sushi de Atún de Lata con Aguacate y Chile Chipotle

Ésta es una opción práctica y fácil para quienes no comen pescado crudo

Rendimiento: 4 porciones · Tiempo de preparación: 0:55 min.

2 tazas arroz para sushi precocido
1 lata atún en agua
1 cucharada adobo de chile chipotle
3 cucharadas jugo de limón
1/2 taza aguacate molido
2 tazas arroz para sushi cocido

Para armar el rollo de sushi:
Extiende sobre un tapete para sushi el arroz, procurando que quede uniforme de altura, ahora mezcla el atún con el adobo de chile chipotle y jugo de limón y colócalo en el extremo donde está el arroz, agrega una línea de aguacate en puré y enrolla con el tapete apretando firmemente, retira el tapete y corta el sushi en trozos pequeños.

** E (K/cal) - 124	Pt (g) - 6.35	A.GrSt(g) - 0.33
Col(mg) - 8	Az(g) - 0.00	Fb(g) - 0.43

SÁNDWICH DE POLLO AHUMADO AL CHIPOTLE

Rendimiento: 4 porciones · Tiempo de preparación: 0:30 min.

Éste es uno de mis sándwiches favoritos, si tú quieres puedes agregarle cebollas caramelizadas.

3 cucharadas chile chipotle adobado, molido
1/4 taza vinagre de manzana
1/4 taza aceite Capullo
1/4 cucharadita orégano seco
4 piezas limón
4 dientes ajo
4 piezas cebolla
1 cucharadita miel de abeja
2 piezas pechuga de pollo deshuesada
4 láminas queso manchego Lala
4 cucharadas mayonesa sin colesterol
2 cucharadas mostaza
1 taza lechugas mixtas
6 piezas jitomate en puré

Licua el chile chipotle con vinagre y aceite de oliva. Agrega a la mezcla el orégano, el jugo de limón, ajo, cebolla, puré de tomate y miel de abeja. Marina las pechugas de pollo. Mete a tu horno Whirlpool en una rejilla sobre charola a 180° C por aproximadamente 12 minutos.

Ensambla el sándwich de la manera habitual. Te recomiendo en pan tipo baguette, ciabatta, focaccia, bolillo o telera de preferencia de harina integral.

TIP: El chile chipotle adobado (en lata) se seca y ahuma, es de color rojo oscuro, arrugado, aromático y picoso. Se usa para salsas, adobos y (entero) para sopas y guisos. Secado sin ahumar se le llama chile meco.

| ** E (K/cal) - 104 | Pt (g) - 7.23 | A.GrSt(g) - 0.39 |
| Col(mg) - 12 | Az(g) - 3.44 | Fb(g) - 1.45 |

Hot Dogs de Salchicha de Pavo Estilo Oropeza

Rendimiento: 4 porciones · Tiempo de preparación: 0:25 min.

Las salchichas de pavo contienen menos contenido graso que las típicas de cerdo, en cuanto al contenido proteico varían según la cantidad de otros ingredientes añadidos como proteínas no cárnicas (principalmente soya). Por eso te recomiendo al momento de comprar verificar en la etiqueta los ingredientes utilizados para su elaboración.

2 cucharadas aceite Capullo
1/2 taza cebolla morada en juliana (tiras finas)
1/4 taza chile serrano en juliana
6 rebanadas tocino de pavo, picado
4 cucharadas salsa inglesa
2 cucharadas salsa de soya
2 cucharadas jugo de limón
6 rebanadas queso amarillo Lala
4 piezas salchichas de pavo
2 piezas tomates rebanados
Mayonesa de cilantro al gusto (ver receta)
Mostaza al gusto
Catsup al gusto
4 piezas pan para hot dog (de preferencia integral)

Calienta el aceite Capullo en un sartén mediano y fríe la cebolla y los chiles serranos, agrega el tocino, cuando comience a cambiar de color, agrega la salsa de soya, jugo de limón y la salsa inglesa, dejando que se reduzcan a la mitad. Para vaciar el queso amarillo Lala, baja el fuego y tapa el sartén, dejando que el queso se funda.

Calienta una parrilla para asar las salchichas de pavo, corta el tomate en rebanadas. Calienta el pan y rellena con la salchicha, la mezcla de queso y el resto de ingredientes.

```
** E (K/cal) - 398   Pt (g) - 17.6   A.GrSt(g) - 6.6
   Col(mg) - 66   Az(g) - 4.1   Fb(g) - 1.8
```

Masa para Pizza

1/2 cucharada miel	280 gramos harina trigo
5 gramos levadura seca	1/2 cucharadita sal
1 taza agua tibia	40 gramos harina de maíz

Vacía la miel en un recipiente, disuelve la levadura en 1/4 taza de agua tibia, agrégala a la miel y la mitad de la harina, bate estos ingredientes hasta formar una masa ligera. Envuelve la masa con papel adherible o con un trapo húmedo, coloca la masa a temperatura tibia y déjala reposar por media hora.

Después de la media hora coloca la masa en un tazón para batir y agrégale el resto de la harina de trigo, el agua y la sal, si usas batidora usa el gancho, si no mezcla con las manos hasta integrar perfectamente los ingredientes y que la masa se despegue completamente de las paredes del tazón y que tenga una textura elástica.

Cubre la masa nuevamente con una toalla húmeda, o envuélvela y déjala reposar por media hora o hasta que doble su tamaño.

Una vez que la masa dobló su tamaño divide la masa en cuatro partes iguales y como si fuera plastilina haz bolitas de masa, ahora deja reposar cada una de las bolitas de masa por 30 minutos más y cúbrelas con el trapo húmedo.

Aplana cada una de las bolitas de masa por separado hasta que tomen una forma circular y que tengan 1 cm de ancho aproximadamente o a tu gusto.

Espolvorea cada una de las pizzas con la harina de maíz, dale el sabor que más te guste y mete al horno a 260° C por 10 minutos o hasta que la pasta tome un color doradito claro.

** E (K/cal) - 310	Pt (g) - 8 A.GrSt(g) - 0.2
Col(mg) - 0.0	Az(g) - 0.0 Fb(g) - 0.3

Pizza Mexicana

1 cucharadita aceite Capullo	1 taza jitomate sin semillas en cubos
1 cucharadita ajo picado	1/4 cucharadita sal
1 taza cebolla morada fileteada	4 piezas bases para pizza
2 piezas chiles poblanos escalfados y en juliana	1/2 taza queso panela Lala en cubos
1 lata de granos de elote	4 cucharadas puré de tomate

Pon aceite Capullo en un sartén, agrega el ajo, la cebolla y mueve hasta que estén transparentes, agrega el chile poblano y los granos de elote, continua moviendo por 2 minutos, agrega al sartén el jitomate y sal, retira del fuego y conserva por separado.

Ahora sobre cada una de las bases para pizza extiende una cucharada de puré de tomate, divide en cuatro la mezcla anterior (granos de elote, chile y jitomate) y sirve cada una de las porciones en las bases para pizza, divide y sirve el queso panela Lala y mete al horno a 150° C por 10 minutos aproximadamente o hasta que la pasta tome el termino deseado.

** E (K/cal) - 478	Pt (g) - 18 A.GrSt(g) - 4
Col(mg) - 32	Az(g) - 3 Fb(g) - 2

Pizza Mixta

En esta pizza te recomiendo hacer una salsa de tomate especial, la hago con albahaca, nueces y chile chipotle, estoy seguro que te encantará.

Rendimiento: 4 porciones · Tiempo de preparación: 0:25 min.

Salsa
3 cucharadas aceite Capullo
5 piezas jitomates sin semillas, picados
1 cucharadita ajo picado
1 cucharadita adobo de chile chipotle
1/4 taza nuez tostada
2 cucharadas queso parmesano rallado
1/2 taza espinaca
4 rebanadas jamón serrano 70 g
4 cucharadas queso de cabra desmoronado
1 cucharada aceite de oliva
1 pieza pera

Complemento
2 piezas Pan árabe (pita bread)

Para preparar la Salsa:
Saltea en un sartén con aceite Capullo el jitomate y ajo, agrega el adobo de chile chipotle y la nuez tostada, ahora pon esta mezcla en la licuadora y vacía el queso parmesano, licúa hasta integrar y cubre la superficie del pan árabe con la salsa.

Para las peras:
Barnízalas con el aceite de oliva y ponlas en una parrilla o sartén a fuego alto hasta que cambien ligeramente de color.

** E (K/cal) - 173   Pt (g) - 5.16   A.GrSt(g) - 2.82
Col(mg) - 8   Az(g) - 3.12   Fb(g) - 2.26

Para armar la pizza:
Calienta el pan árabe sobre el comal, cubre con un par de
cucharadas de la salsa y coloca encima el resto de los ingredientes.

TIP: Procura comprar espinaca fresca, con hojas tiernas y suaves
de color verde oscuro.
Evita comprarlas si las hojas no tienen brillo o están amarillentas
o poco consistentes.

La espinaca cruda es una fuente excelente de ácido fólico, vitamina
A, potasio y magnesio. El jamón y queso son fuente de proteínas.

Pizza de Arrachera

Creo que la pizza es uno de los platillos que a la mayoría de la gente les encanta, aquí te doy una receta muy fácil para hacer pizzas caseras sobre pan árabe o pan pita

Rendimiento: 4 porciones · Tiempo de preparación: 0:25 min.

2 piezas carne arrachera en fajitas (tiras delgadas)
2 cucharadas aceite de oliva
2 cucharadas ajo picado
4 cucharadas cebolla picada
8 piezas jitomates en cubos pequeños
1 pizca orégano seco

Cebollas y chiles toreados
1 cucharada aceite de oliva

1 taza queso parmesano rallado

1 pieza cebolla morada en juliana (tiras finas)
1 pieza cebolla en juliana
5 piezas chiles serranos en juliana
2 cucharadas salsa inglesa
3 piezas limón verde
Sal al gusto
4 piezas pan árabe o pan pita integral (mediano)

Complemento
1 taza queso panela Lala rallado

Para preparar la carne:
En una parrilla o sartén cocina las fajitas hasta un término medio. Retira y conserva por separado. Saltea el ajo y la cebolla sin que se doren, agrega el jitomate y deja en el fuego hasta que se suavice. Por último sazona con orégano.

Para prepara las cebollas y chiles toreados:
Presiona y gira los chiles bajo la palma de la mano. Calienta el aceite en un sartén mediano y saltea las cebollas y el chile sin dejar que cambien de color, agrega la salsa inglesa y el jugo de los limones, baja el fuego de tu estufa Whirlpool a la mitad y deja que los líquidos se reduzcan a la mitad. Rectifica el sabor con sal y conserva por separado.

Para armar tu pizza:
Calienta el pan pita sobre un comal o sartén. Cubre el pan con la salsa de tomate, coloca encima la carne, las cebollas y chiles toreados. Después esparce el queso panela Lala y parmesano rallados, deja a fuego bajo hasta calentar. O puedes meter al horno a 160° C por 5 minutos.

TIP: El pan pita es originario de Medio Oriente, este pan forma una especie de bolsillo al calentarse, que puede rellenarse. Las de trigo integral contienen una cantidad de fibra tres veces superior a las de harina blanca.
Como tú sabes la carne de res es fuente de proteínas, vitaminas del grupo B y minerales. El tomate, cebolla y ajo, además de darle un aroma y sabor sensacional, tienen vitaminas como la C, E y potasio. El conjunto de pan pita, carne y los quesos panela Lala y parmesano se obtiene un mayor contenido de proteínas.
A la arrachera también se le conoce como vacío o en inglés como *skirt steak.*

** E (K/cal) - 138	Pt (g) - 8.79	A.GrSt(g) - 1.93
Col(mg) - 11	Az(g) - 1.70	Fb(g) - 1.88

PASTA CON ATÚN

Rendimiento: 4 porciones · Tiempo de preparación: 0:20 min.

2 cucharadas aceite de oliva
5 cucharadas cebolla picada
1 cucharada ajo picado
1/2 taza jitomate en cubos sin semillas
2 latas atún en agua
3 tazas pasta spaguetti o fetuccini
1/2 taza queso panela rallado
4 cucharadas almendras tostadas
2 cucharadas albahaca picada opcional

Saltea en una sartén con aceite de oliva la cebolla y ajo picados hasta que estén transparentes, agrega el jitomate y deja en el fuego hasta que se suavice, pon el atún en la sartén y revuelve, baja el fuego a medio y deja por un par de minutos.

Cocina la pasta en agua como normalmente lo haces, una vez cocinada al dente retira del agua, vacía en un recipiente, sirve encima de la pasta la mezcla de atún, espolvorea con el queso panela rallado, las almendras tostadas y un poco de albahaca picada.

** E (K/cal) - 228   Pt (g) - 23   A.GrSt(g) - 0.3
Col(mg) - 46   Az(g) - 0.0   Fb(g) - 2

Spaguetti a mi Manera

Ésta es una de mis pastas favoritas. Cuando la pruebes seguramente estarás de acuerdo conmigo.

Rendimiento: 4 porciones · Tiempo de preparación: 12 min

1 cucharadita de aceite Capullo
1 pieza pimiento verde en juliana
1 cucharadita ajo
1 pieza cebolla morada
2 piezas pechugas de pollo aplanadas y en fajitas

1 cucharadita páprika
1 cucharadita pimienta negra
1 cucharadita sal
2 cucharadas cilantro picado
3 tazas spaguetti cocido en agua

Pon en un sartén el aceite Capullo y agrégale el pimiento, el ajo, la cebolla y el pollo. Espolvorea con páprika, pimienta y sal. Mueve constantemente hasta que se haya cocinado el pollo. Baja el fuego a la mitad y agrégale a la sartén el cilantro y el spaguetti. Deja en la sartén hasta que se caliente el spaguetti y sirve caliente.

** E (K/cal) - 228   Pt (g) - 23   A.GrSt(g) - 0.3
Col(mg) - 46   Az(g) - 0.0   Fb(g) - 2

Pasta Tornillo (Fusilli) a la Mexicana

Rendimiento: 4 personas • Tiempo de preparación: 0:08 min.

1 cucharadita de aceite Capullo
1 cucharadita ajo picado
1 pieza chile de árbol picado
2 piezas jitomates guaje picados

2 cucharadas cilantro picado
3 tazas pasta tornillo (fusilli) cocida en agua
1 taza queso panela rallado

Pon en un sartén el aceite Capullo. Ponlo a fuego alto. Agrégale el ajo y el chile de árbol. Antes de que cambie de color el ajo, vacía en el sartén el jitomate, el cilantro y la pasta. Deja en el sartén por un minuto mientras revuelves y sirve con el queso panela.

** E (K/cal) - 447   Pt (g) - 15   A.GrSt(g) - 4
Col(mg) - 32   Az(g) - 0.0   Fb(g) – 1

Hamburguesa Vegetariana

Rendimiento: 4 porciones · Tiempo de preparación: 0:20 min.

1/4 taza pesto de albahaca
4 piezas hongos portobello
1 pieza calabaza
1 pieza pimiento amarillo
1 pieza cebolla morada
1 pieza zanahoria (láminas)

1 taza hojas de espinaca
1/4 taza mayonesa al pesto
1/2 taza germinado de alfalfa
4 piezas pan para hamburguesa
4 piezas de queso amarillo Lala

Barniza todos los vegetales con el pesto. Mete al horno (o en un sartén) los vegetales (todos menos la espinaca y el germen de alfalfa) por 8 minutos a 180° C, volteándolos de lado para evitar que se quemen.

Cubre ambos panes con la mayonesa al pesto. Acomoda los vegetales sobre el pan, agrega el queso, la espinaca y germen de alfalfa y sirve.

** E (K/cal) - 382   Pt (g) - 14   A.GrSt(g) - 2
Col(mg) - 29   Az(g) - 0.2   Fb(g) - 3

Hamburguesas de Salmón al Chipotle

Rendimiento: 4 porciones · Tiempo de preparación: 0:30 min.

2 cucharadas aceite Capullo
2 cucharadas echalote o cebolla picado
2 cucharadas jugo de limón
2 cucharadas alcaparras picadas
4 piezas filete de salmón bien picado o molido
4 cucharadas galletas integrales molidas

3 piezas claras de huevo
1/4 cucharada sal
2 cucharaditas eneldo fresco picado
2 cucharaditas adobo de chile chipotle
1 cucharadita aceite Capullo

Vacía en un tazón el aceite Capullo, echalote, jugo de limón, alcaparras, salmón, galletas integrales, claras de huevo, sal y adobo de chipotle. Mezcla perfectamente hasta integrar todos los ingredientes. Forma unas bolitas del tamaño de tu mano y después apachúrralas con un plato extendido para darles forma de hamburguesa.
Barniza las hamburguesas con aceite Capullo y ponlas en un sartén o parrilla y deja que se cocinen en el fuego por 3 minutos de cada lado. También las puedes cocinar al horno.

** E (K/cal) - 161   Pt (g) - 11   A.GrSt(g) - 1
Col(mg) - 9   Az(g) - 0.0   Fb(g) - 0.6

Club Sándwich Contemporáneo

Rendimiento 4 porciones · Tiempo de preparación: 10 min.

1 cucharadita de aceite de oliva	8 rebanadas jamón de pechuga de pavo (10 gr c/u)
1 cucharada pesto de albahaca	4 cucharaditas mayonesa al pesto
4 piezas pechuga de pollo aplanadas (140 gr c/u)	8 rebanadas pan multigrano o chapata
4 rebanadas queso manchego light Lala (15 gr c/u)	1 taza Lechugas mixtas (sangría, escarola, francesa)

Agrega en una parrilla o sartén el aceite de oliva. Barniza con el pesto las pechugas y ponlas en la parrilla o sartén. Una vez cocinadas coloca encima de cada una de las pechugas el queso manchego, y encima del queso el jamón de pechuga de pavo. El calor del pollo hará que se gratine el queso.

Barniza por un lado todas las rebanadas de pan. Coloca sobre 4 rebanadas de pan el pollo con queso y jamón y encima las lechugas mixtas. Tapa cada uno con una rebanada de pan y sirve con una ensalada.

** E (K/cal) - 405   Pt (g) - 49   A.GrSt(g) - 2
Col(mg) - 99   Az(g) - 1   Fb(g) - 4

Sándwich de Atún Fresco

Rendimiento: 4 porciones · Tiempo de preparación: 10 min.

3 cucharadas vinagreta de alcaparras	1/4 cucharadita sal
4 medallones atún fresco 140 gr c/u	1/4 cucharadita pimienta verde
1 cucharadita de aceite de oliva	4 rebanadas cebolla morada
3 cucharadas salsa de soya baja en sodio	12 rebanadas jitomate
3 cucharadas vinagre de manzana	4 rebanadas pan integral

Barniza con la vinagreta de alcaparras los medallones de atún fresco. Pon en un sartén o parrilla el aceite de oliva y cocina los medallones. Te recomiendo que queden término medio. Vacía en un tazón la salsa de soya, el vinagre de manzana, la sal y la pimienta verde.

Mézclalo y sumerge la cebolla y jitomate. Déjalas por un par de minutos.

Coloca sobre cada rebanada de pan integral una pieza de atún y encima 3 rebanadas de jitomate y una de cebolla morada.

** E (K/cal) - 308   Pt (g) - 36   A.GrSt(g) - 0.1
Col(mg) - 51   Az(g) - 0.0   Fb(g) - 3

Hamburguesa de Res con Chile Guajillo

Rendimiento: 4 porciones · Tiempo de preparación: 0:35 min.

En esta receta uso avena que como tu sabes es rica en fibra, para darle más cuerpo a las hamburguesas.

5 piezas chiles guajillos secos
3 tazas agua
3 dientes ajo
2 cucharadas aceite de oliva
3 cucharadas salsa inglesa
2 cucharadas salsa de soya
2 cucharaditas mostaza
2 tazas carne molida de res
1/2 taza avena molida

4 claras huevo
1 yema huevo
1 cucharadita sal y pimienta negra
1 pieza cebolla morada
4 piezas pan integral para hamburguesa
4 rebanadas queso amarillo Lala
1 taza mezcla de lechugas
Mayonesa de cilantro (ver receta)

Limpia e hidrata los chiles guajillos en agua en ebullición. Licúa los chiles hidratados con el ajo, el aceite de oliva, la salsa inglesa, la salsa de soya y la mostaza. En un recipiente vacía la carne molida de res, la avena, las claras y la yema de huevo, la sal y la pimienta negra. Añade la mezcla de guajillo hasta incorporar todos los ingredientes.

Divide la carne en cuatro y calienta la parrilla, pon a asar las carnes hasta el término que desees. Corta la cebolla en rebanadas y espolvorea con sal y pimienta. Ponlas en la parrilla hasta que se suavicen. Sirve la carne en el pan previamente barnizado con mayonesa de cilantro, agrega el queso, las rebanadas de cebolla y la lechuga.

TIP: La carne molida de res procede de diversas partes del animal. El contenido de grasa varía mucho y va relacionado con cuantos puntos blancos presente, de manera visual te puedes dar cuenta que mientras más puntos blancos veas más grasa contendrá, por eso procura comprar la carne más roja. O entregarle al carnicero el tipo de carne que quieras usar.

Mayonesa de cilantro
1/4 taza mayonesa baja en grasa
1/2 taza yoghurt natural bajo en grasa
1 cucharada aceite de oliva
1 cucharada mostaza

1/2 taza hojas de cilantro
1 diente ajo
2 cucharadas vinagre de arroz
(opcional de vino tinto)

Vacía en un procesador todos los ingredientes hasta emulsionar, obtienes aproximadamente 2 tazas de mayonesa de cilantro.

** E (K/cal) - 124   Pt (g) - 8.16   A.GrSt(g) - 1.81
Col(mg) - 25   Az(g) - 1.24   Fb(g) - 1.27

CHILES JALAPEÑOS CRUJIENTES RELLENOS DE QUESO AMARILLO Y FRIJOLES

Rendimiento: 10 porciones · Tiempo de preparación: 25 min.

10 chiles jalapeños verdes firmes y grandes
1 cucharada de aceite Capullo
2 cucharadas de vinagre blanco
1 cucharadita de orégano
1/2 cucharadita de mejorana
2 hojas de laurel
1 pimienta gorda
1 clavo de olor
1 diente de ajo rebanado
1/4 de cebolla
Sal al gusto

Relleno:
1/2 taza de frijoles refritos
1/2 taza de queso amarillo Lala picado
1 taza de harina de trigo
1 huevo ligeramente batido
1 taza de pan molido
Cantidad suficiente de aceite

Calienta una cazuela de barro y sofríe en el aceite caliente los chiles enteros, añade el vinagre, orégano, mejorana, laurel, pimienta gorda, clavo de olor, el diente de ajo y cebolla, hasta que doren ligeramente. Dales sabor con sal y pimienta. Deja enfriar y retírales las semillas.

Rellena los chiles con los frijoles, el queso amarillo, pásalos por harina, el huevo y el pan molido. Fríelos en abundante aceite caliente, hasta que doren ligeramente escurre en papel absorbente.

** E (K/cal) - 244	Pt (g) - 6.4	A.GrSt(g) - 2.9
Col(mg) - 27.9	Az(g) - 0.0	Fb(g) - 0.7

Dedos de Queso Empanizados con Almendra

Rendimiento: 8 dedos empanizados · Tiempo de preparación: 15 min.

8 tiras de queso panela Lala
1/2 taza de harina
3 piezas de huevo ligeramente batidas
3/4 de taza de almendra molida
1 taza de aceite Capullo

Corta el queso en tiras de 1 × 3 cm. (aproximadamente) pasa las tiras de queso por harina, por huevo y la almendra, de nuevo pásala por el huevo y empaniza por segunda vez hasta que no queden huecos presiona con las manos para que se adhiera, déjalos sobre una superficie plana reposando un poco. En una olla calienta el aceite Capullo y fríe las tiras de queso empanizadas hasta que queden crujientes.

| ** E (K/cal) - 388 | Pt (g) - 12.4 | A.GrSt(g) - 6.9 |
| Col(mg) - 28.3 | Az(g) - 0.0 | Fb(g) - 2.8 |

Soufflé de Papas

Rendimiento: 6 porciones · Tiempo de preparación: 25 min.

Cantidad suficiente de agua
1 cucharada de sal
5 piezas de papa peladas y rebanadas
2 cucharadas de mantequilla Lala
1 pieza de queso manchego rallado de 400 gramos Lala
1 taza de crema Lala
1/2 taza de leche Lala
1 huevo
Sal y pimienta al gusto

Sumerge en una olla con agua hirviendo con sal las papas y deja cocinar hasta que estén blandas sin perder su firmeza, en un tazón mezcla la mitad del queso manchego Lala, la crema y la leche Lala, sazona con sal y pimienta al gusto y reserva. Engrasa un refractario con mantequilla Lala y forma una base con las papas, mezcla en un tazón el queso manchego, la crema, leche Lala, el huevo, agrega sal y pimienta al gusto, vuelve a cubrir con otra capa de papas y vacía el resto de la mezcla de crema, leche y queso Lala que reservaste.

Hornéa a una temperatura de 180°C por aproximadamente 15 minutos.

** E (K/cal) - 573   Pt (g) - 24.1   A.GrSt(g) - 23.8
Col(mg) - 159.3   Az(g) - 0.0   Fb(g) - 0.8

QUESO AL HORNO CON SALSA DE TAMARINDO

Rendimiento: 12 porciones · Tiempo de preparación: 0:10 min.

Salsa de tamarindo
1/2 taza de jarabe de tamarindo (con el que se preparan aguas de sabor)
1 lata chica de chiles chipotles
2 cucharadas de vinagre de manzana
1 cucharada de aceite de oliva
Sal con ajo y pimienta blanca al gusto

Queso
1/2 taza de nuez y/o almendra y/o pistaches picados
1/4 taza de cilantro fresco picado
1/4 taza de rabos de cebolla cambray o cebollín picado
1 pieza de queso crema Lala 180 g

Vacía en el vaso de la licuadora el jarabe de tamarindo, agrega 2 cucharadas del adobo del chile chipotle o al gusto, vinagre de manzana, aceite de oliva, sal con ajo y pimienta blanca al gusto, licúa hasta formar una salsa homogénea, sírvela en un recipiente y métela al refrigerador.

Ahora vacía y mezcla en una charola las nueces y el cilantro.
Abre el empaque de tu queso crema Lala y cúbrelo con la mezcla de nueces y cilantro, hasta formar una costra que cubra el queso.
Coloca el queso cubierto con nueces y cilantro en un recipiente para horno y mete a hornear a 160º C por aproximadamente 8 minutos, o si prefieres puedes usar el horno de microondas por tan sólo 3 minutos, al servir acompáñelo con la salsa.

```
** E (K/cal) - 195   Pt (g) - 4.2   A.GrSt(g) - 2.75
   Col(mg) - 8.2   Az(g) - 8.5   Fb(g) – 0.4
```

Tarta de Elote con Rajas de Chile Ancho y Queso Panela a la Parrilla

Rendimiento: 1 Tarta · Tiempo de preparación: 0:20 min.

Crema y Queso
2 cucharadas de mantequilla Lala
1/4 de taza de cebolla morada fileteada
1/4 de taza de cebolla blanca fileteada
4 chiles anchos desvenados e hidratados
1 taza de elote desgranado
1 taza de crema Lala
1 pieza de queso panela 180 g Lala
2 cucharadas de aceite Capullo
10 tortillas de harina integral
1/2 taza de caldo de pollo

Precalienta la mantequilla Lala en un sartén y agrega las cebollas, dejando en el sartén a fuego medio hasta que se pongan traslúcidas.

Hidrata los chiles anchos con agua caliente y córtalos en láminas delgadas agrégalos al sartén junto con los granos de elote y mueve por un par de minutos sin dejar que cambien de color, ahora agrega la crema y deja en el fuego medio hasta que hierva y reserva. Corta el queso panela en tiras o fajitas y barnízalas con el aceite Capullo después colócalas en un sartén bien caliente hasta que doren un poco.

Cubre el fondo de un molde refractario con las tortillas de harina integral y sirve encima la mezcla de los elotes y el chile ancho con crema, cubre nuevamente con las tortillas de harina integral y rocía el caldo de pollo, coloca las tiras de queso panela hasta arriba y mete al horno precalentado a 160° C por aproximadamente 10 minutos.

** E (K/cal) - 591   Pt (g) - 15.3   A.GrSt(g) - 19.4
Col(mg) - 114.5   Az(g) - 0.0   Fb(g) – 2.2

Re-Fréscate

ENSALADAS, CARPACCIOS,
VINAGRETAS Y SALSAS

Las frutas y verduras, una vez recolectadas, siguen respirando. En el proceso respiratorio secretan etileno, un compuesto químico que provoca la maduración. Por ello no se deben almacenar juntos vegetales y frutas con diferente actividad respiratoria (porque la que tiene una mayor respiración provoca la maduración de la otra). La mayoría de las frutas y las verduras de hoja muestran una actividad respiratoria alta, por lo que se conservan durante menos tiempo. Las hortalizas de raíz y los tubérculos tienen, sin embargo, una respiración baja por lo que aguantan bien varias semanas en lugares frescos. Por ejemplo, no conviene almacenar juntas zanahorias (respiración baja) con manzanas (respiración alta).

Como se sabe, las temperaturas elevadas también conllevan pérdidas de vitaminas. La conservación por frío asegura que el deterioro sea más lento si se aplica refrigeración y lo detiene totalmente mediante la congelación. Pero es importante también tomar en cuenta la humedad para mantener bajo el ritmo respiratorio de frutas y vegetales.

Para almacenar las hojas como la lechuga dentro del refrigerador evita hacerlo en una bolsa cerrada, debido a la alta tasa de respiración y consecuentemente el etileno producido provoca oxidación (colores cafés y su putrefacción). Almacénala en una bolsa de plástico con agujeros grandes. Asimismo, te recomiendo que hojas como la lechuga se laven, corten y desinfecten una vez se vayan a consumir ya que el agua que permanece en la hoja ayuda a que durante el almacenamiento se oxiden y pierdan su turgencia a un ritmo mayor por lo que duran solamente un día o dos.

Las hierbas y plantas aromáticas sufren daño por el frío por lo que se recomienda almacenarlas dentro de la parte de arriba del refrigerador (no congelador) dentro de un recipiente tapado con papel de aluminio, el cual previene que se quemen y duran más tiempo.

Los tubérculos como papas, jícama, etc. se conservan mejor fuera del refrigerador ya que tienen una tasa de respiración muy bajo y sufren daños por frío como lo es la caramelización de los azúcares.

Cuando compres tomates o jitomates procura dejarlos fuera del refrigerador así conservan mejor su sabor y al madurar le dan un mejor color a tus ensaladas.

Para conservar frutas ya cortadas dentro del refrigerador, lo mejor es meterlas en una bolsa de plástico o en un recipiente cerrado, ya que aparte de conservarse mejor, evita la contaminación de olores y su oxidación (oscurecimiento).

ENSALADA ESTILO ORIENTAL DE MANGO CON ZANAHORIA

Rendimiento: 4 porciones · Tiempo de preparación: 0:12 min.

La zanahoria es la raíz de una hortaliza originaria de Medio Oriente y Asia Central, cuyo antecesor era de color morado, es más, casi negro. En el siglo XIX adquirió su color anaranjado, gracias a la intervención de unos agrónomos franceses. Crudas son muy ricas en vitamina A y en potasio.

Para la ensalada:
2 piezas zanahorias, peladas en juliana (tiras finas)
2 piezas mangos verdes, pelados
1 pieza pepino pelado, sin semillas
1/2 pieza tofú cortado en cubos

Para el aderezo:
3 cucharadas cebollín picado
3 cucharadas echalote picado
2 cucharadas jugo de limón
1/2 taza jugo de naranja
1 cucharada miel de abeja
1 cucharadita aceite de ajonjolí
1 cucharada salsa de pescado o salsa de soya

Para preparar la ensalada:
Corta en juliana la zanahoria, el mango y el pepino, corta en cuadros grandes el tofú y conserva todos estos ingredientes por separado.

Para preparar el aderezo:
Mezcla todos los ingredientes del aderezo en un tazón grande. Agrega la zanahoria, el mango, el tofú y revuelve. Deja reposar en refrigeración por 5 a 10 minutos y sirve fría.

TIP. El pepino es muy refrescante y una excelente fuente de potasio, ácido fólico y vitamina C. Mientras que el mango nos proporciona vitamina A y C.

Tofú: Se obtiene del líquido extraído de los granos de soya. Es un alimento que tiene un contenido de hierro de hasta 2 y 3 veces superior al de una porción de carne cocida.

Salsa de pescado o Nam Pla: La puedes conseguir en tiendas de especialidades orientales, se usa como sazonador y es de sabor salado muy intenso.

** E (K/cal) - 59	Pt (g) - 1.37	A.GrSt(g) - 0.11
Col(mg) - 0	Az(g) - 3.48	Fb(g) - 1.23

Ensalada de Palmitos y Aguacate con Aderezo al Curry

Rendimiento: 4 porciones · Tiempo de preparación: 0:25 min.

El palmito es la parte inferior del tallo de varias palmeras de las regiones tropicales. Tiene un sabor parecido al de la alcachofa y combina bien con ensaladas y mariscos. Es fuente de vitaminas y minerales.

24 láminas delgadas de zanahoria
1 litro agua
Sal al gusto
8 cucharadas jugo de limón
1/2 pieza cebolla
1 1/2 tazas cangrejo fresco o surimi de cangrejo picado
4 piezas palmitos
1 pieza aguacate
1 taza chícharos precocidos
2 piezas ajo blanqueado
1/2 taza mayonesa light
2 cucharaditas curry amarillo en polvo
Eneldo al gusto

Para preparar la ensalada:
Blanquea en agua con sal la zanahoria.
Mezcla el jugo de limón con cebolla y el cangrejo o surimi y conserva en el refrigerador. Corta por la mitad y a lo largo los palmitos.
Ahora corta en cubitos el aguacate.
Licúa el ajo blanqueado con la mayonesa y el curry en polvo, rectifica el sabor con sal y pimienta si es necesario.
Por último mezcla la mayonesa con el cangrejo y chícharos.
Sirve la ensalada decorando con los palmitos, aguacate y eneldo.

TIP. Blanquear - cocinar en agua en ebullición con sal.

** E (K/cal) - 53	Pt (g) - 2.44	A.GrSt(g) - 0.13
Col(mg) - 3	Az(g) - 1.08	Fb(g) - 1.02

ENSALADA DE FRUTAS AL GRILL CON VINAGRETA DE FRESAS

Rendimiento: 4 porciones · Tiempo de preparación: 0:25 min.

2 cucharadas aceite Capullo
2 cucharadas cebollín picado finamente
2 piezas peras rebanadas, sin semillas
1 pieza manzana rebanada, sin semilla
2 piezas mandarinas o toronjas,
en rodajas ligeramente anchas
3 tallos apio
1 pieza jitomate
2 tazas lechugas mixtas
1 taza espinacas
1/2 taza pepino rebanado
2 cucharadas queso azul
4 cucharadas nueces o almendras semi picadas
Sal y pimienta al gusto

Vinagreta de fresas
1/2 taza fresas molidas
2 cucharadas jugo de limón verde
2 cucharadas vinagre de arroz
1/4 taza agua
2 cucharadas aceite de oliva o aceite español
3 cucharadas miel de maíz o jarabe natural
Sal y pimienta blanca al gusto

Para la ensalada:
Mezcla el aceite Capullo con el cebollín y echalote. Barniza con esta mezcla las frutas y los apios para después cocinarlas en una parrilla o sartén.
Vacía las frutas y el apio recién cocinados en un tazón y agrega el resto de los ingredientes: las lechugas, espinacas, pepino, queso y almendra, reserva mientras preparas la vinagreta.

Vinagreta:
Mezcla todos los ingredientes del aderezo en un tazón grande. Agrega la zanahoria, el mango, el tofú y revuelve. Deja reposar en refrigeración por 5 a 10 minutos y sirve fría.

TIP. Para comprobar que las lechugas estén frescas al momento de adquirirlas debes observar que las hojas estén tersas y que aún conserven su color vivo.
Las fresas pueden ser congeladas o naturales. Si son naturales, hay que lavarlas muy bien y desinfectarlas antes de comerlas.
El vinagre de arroz tiene un sabor ligeramente dulce y es más suave que el vinagre blanco normal. El vinagre de arroz tiene un sabor ligeramente dulce y es más suave que el vinagre blanco normal.

```
** E (K/cal) - 67   Pt (g) - 1.38   A.GrSt(g)
Col(mg) - 1   Az(g) - 1.92   Fb(g) - 1.95
```

Ensalada Mixta con Pétalos de Rosas y Vinagreta de Vainilla

Rendimiento: 4 porciones ·Tiempo de preparación: 0:25 min.

Ensalada
6 piezas duraznos
3 piezas higos
1/4 cucharadita canela en polvo
2 cucharadas echalote picado
3 cucharadas aceite Capullo
Sal al gusto
Chile piquín en polvo al gusto
15 piezas pistaches
3 tazas lechugas mixtas
3/4 taza pétalos de rosa rojos y rosas
1 1/2 cucharada cobertura de chocolate blanco

Vinagreta
1/4 cucharadita canela en polvo
2/3 taza agua
2 cucharadas vainilla líquida
3 cucharadas aceite de oliva
2 cucharaditas echalote
2 1/2 cucharadas vinagre
de arroz o vinagre de
manzana diluido en agua
3 cucharadas miel de maíz

Para preparar la Ensalada:

Parte los higos y los duraznos en cuartos y retírales la semilla al durazno. Mezcla la canela, el echalote picado, aceite Capullo, sal y chile piquín al gusto, revuelve con las frutas y mételos a tu horno Whirlpool a 180º C por 10 minutos o hasta que estén ligeramente suaves.

Vacía en un tazón los pistaches, lechugas y pétalos de rosas, mezcla estos ingredientes con la vinagreta y sirve acompañada de las frutas horneadas, por último ralla el chocolate blanco y espolvoréalo encima como si fuera queso parmesano.

Para preparar la Vinagreta:

Mete todos los ingredientes a la licuadora, si lo consideras necesario puedes agregar sal al gusto.

** E (K/cal) - 92	Pt (g) - 1.67	A.GrSt(g) - 0.83
Col(mg) - 0	Az(g) - 3.87	Fb(g) - 1.76

ENSALADA VERDE CON POLLO TANDOORI Y VINAGRETA DE ORÉGANO

Rendimiento: 4 porciones · Tiempo de preparación: 0:30 min.

Un platillo de origen hindú, lleva su nombre por el horno donde se preparaba.

Salsa tandoori
1 taza yoghurt bajo en grasa
1/4 taza jugo de limón verde
3 cucharadas jengibre picado
2 cucharadas cilantro picado
1 cucharada ajo picado
1 cucharada comino
Sal al gusto
1 cucharadita pimienta de cayena
4 piezas Medias pechugas de pollo
deshuesadas y aplanadas
2 cucharadas aceite de oliva

Ensalada y vinagreta de balsámico y orégano
2 cucharadas echalote picado
1 cucharadita orégano seco
1/4 taza aceite de oliva
1/2 taza vinagre balsámico
1/4 taza caldo de vegetales o agua
2 tazas lechugas mixtas
1 manojo chico de cebollín

Para preparar la salsa y las pechugas de pollo:
Licúa todos los ingredientes para la salsa y marina las pechugas de pollo en ella por al menos 20 minutos. Mete a tu horno Whirlpool aproximadamente 12 minutos o hasta que el pollo se haya cocinado a 180º C (355º F).

Para preparar la ensalada, vinagreta de balsámico y orégano:
Mezcla en un tazón el echalote, el orégano y el aceite de oliva, después agrega poco a poco el vinagre balsámico y el caldo de vegetales. Rocía las lechugas con la vinagreta y sirve acompañando el pollo.

TIP. El vinagre balsámico es elaborado con uva blanca azucarada que envejece durante 4 o 5 años en tóneles de madera. El vinagre de entre 10 y 40 años posee un sabor indescriptible. Este vinagre, de color pardo oscuro, es poco ácido, por lo que se considera más un condimento que vinagre. Mezclado con aceite de oliva y ciertas hierbas provee a cualquier ensalada una vinagreta deliciosa.

```
** E (K/cal) - 121   Pt (g) - 13.43   A.GrSt(g) - 0.87
   Col(mg) - 32   Az(g) - 2.48   Fb(g) - 0.44
```

ENSALADA TIBIA DE PATO O POLLO

Rendimiento: 4 porciones · Tiempo de preparación: 0:55 min.

Este platillo tiene un sabor espectacular. De las pechugas de pato se obtiene el magret, que se puede cocinar al horno o a la plancha. Mediante el asado se reduce su contenido de grasas. Si no te gusta el pato puedes sustituirlo por pollo.

Pato o Pollo
4 pechugas magret de pato-pechuga de pato o pollo
3 piezas anís estrella molido
1/3 taza echalote picado
1/4 taza ajo picado
1/3 taza cebollín picado
1 3/4 tazas puré o papilla para bebés
de mango o durazno
1/2 taza vinagre de arroz
2 cucharaditas pimienta
de cayena o pimienta roja

Aderezo
3 cucharadas queso de cabra
3/4 taza yogurt natural
3 filetes anchoas en lata, enjuagados
1/3 taza jugo de limón
1/2 cucharadita orégano seco

Ensalada
2 tazas espinacas
2 tazas lechugas mixtas
1/2 taza nuez de la india
4 ramilletes eneldo
2 tazas hojas de cilantro

Para preparar el Pato o Pollo:
Marina las pechugas con la mezcla de anís, echalote, ajo, cebollin, puré de mango, vinagre de arroz y pimienta de cayena. Conserva esta mezcla por separado. Hornea las pechugas a 200° C hasta que se cuezan.

Pon en un sartén el sobrante de la salsa a fuego medio, mientras mueves constantemente, hasta que tome una textura pesada. Sirve encima de las pechugas o magrets rebanados.

Para preparar el Aderezo:
Muele las anchoas con el yogurt, el queso de cabra y el jugo de limón hasta integrar y agrega el orégano molido.

Para preparar la Ensalada:
Mezcla todas las hojas de espinacas y lechuga con la nuez, eneldo y cilantro. Por último agrega el aderezo.

Presentación:
En un plato sirve las pechugas de pato o pollo rebanadas. A un lado sirve la ensalada mezclada con el aderezo.

** E (K/cal) - 81	Pt (g) - 10.24	A.GrSt(g) - 0.77
Col(mg) - 23	Az(g) - 1.69	Fb(g) - 1.24

ENSALADA DE ALFALFA Y SANDÍA CON VINAGRETA DE MANGO

Rendimiento: 4 porciones · Tiempo de preparación: 0:15 min.

Las semillas germinadas de alfalfa son legumbres que se pueden comer crudas ya que son muy finas y tienen un sabor suave. Son muy nutritivas porque contienen una alta proporción de ácido fólico y potasio y son ricas en hierro y magnesio.

Ensalada de Germinado de Alfalfa
2 tazas germinado de alfalfa
10 láminas sandía
2 tazas espinacas

Vinagreta de Mango
1/2 taza mango en puré
2 cucharaditas echalote
4 cucharadas vinagre de vino blanco
1/4 taza aceite de oliva
2 cucharadas jengibre
1/4 cucharada mostaza en polvo

Para preparar la Ensalada:
Revuelve los ingredientes y rocía con el aderezo.

Para preparar la Vinagreta de Mango:
Mete al procesador todos los ingredientes, procesa y sazona.

** E (K/cal) - 52   Pt (g) - 1.05   A.GrSt(g) - 0.40
Col(mg) - 0   Az(g) - 1.40   Fb(g) - 0.84

Ensalada de Espinacas con Mango

Rendimiento: 4 porciones · Tiempo de preparación: 0:07 min.

1/4 taza vinagreta al chipotle
2 tazas espinacas desinfectadas
4 barritas surimi de cangrejo en cubos
2 piezas mango en cubos
1 cucharadita ajonjolí

Pon en un tazón la vinagreta, agrega las hojas de espinaca y el surimi de cangrejo, revuelve hasta impregnar con la vinagreta, vacía el mango picado y espolvorea el ajonjolí, sirve en platos individuales o en una ensaladera.

** E (K/cal) - 88	Pt (g) - 6	A.GrSt(g) - 0.1
Col(mg) - 9	Az(g) - 0.1	Fb(g) – 2

Ensalada de Pollo con Aderezo al Pesto

Rendimiento: 4 porciones · Tiempo de preparación: 0:20 min.

4 piezas pechugas de pollo deshuesadas, sin piel y aplanadas
3 cucharaditas pesto de albahaca
3 cucharadas mayonesa al pesto
3 cucharadas vinagre
3 tazas lechugas mixtas
1 taza espinaca

Barniza las pechugas de pollo con 4 cucharaditas de pesto y cuécelas en una parrilla o sartén, córtalas en triángulos y consérvalas por separado en refrigeración.
Ahora vacía en un tazón el resto del pesto y agrega la mayonesa, revuelve con el batidor globo hasta incorporar, para después agregar el vinagre poco apoco y revolviendo al mismo tiempo con el batidor globo hasta integrar el vinagre en la mayonesa.
Mezcla la lechuga y la espinaca con la mayonesa en el tazón, agrega las pechugas de pollo y sirve de inmediato.

** E (K/cal) - 255	Pt (g) - 39	A.GrSt(g) - 1
Col(mg) - 94	Az(g) - 0.1	Fb(g) – 1

ENSALADA DE JÍCAMA

Rendimiento: 4 porciones · Tiempo de preparación: 0:10 min.

1/2 taza granos de elote
2 tazas jícamas en juliana
1/4 taza cebolla morada en juliana
1/4 taza pimiento rojo juliana
1 taza pimiento verde en juliana
1 taza vinagreta de chile jalapeño

En un sartén coloca los granos de elote dejándolos a fuego alto hasta que tomen un tono dorado. Retíralos del sartén y vacíalos en un tazón agregándole la jícama, la cebolla y los pimientos. Agrega la vinagreta de chile jalapeño y refrigera antes de servir.

> ** E (K/cal) - 102   Pt (g) - 2   A.GrSt(g) - 0.7
> Col(mg) - 0.0   Az(g) - 2   Fb(g) – 2

ENSALADA DE NOPALES CON MANZANA Y VINAGRETA DE MIEL

Rendimiento: 4 porciones · Tiempo de preparación: 0:20 min.

8 piezas nopales cocidos en cubos
2 piezas manzanas rojas en cubos
1/4 taza uvas pasas
2 cucharaditas cebolla picada
2 cucharadas cilantro picado
1/4 taza vinagreta de miel

Vacía los nopales en un tazón, agrega la manzana picada en cubos del tamaño de los nopales, las uvas pasas, la cebolla y el cilantro, agrega la vinagreta de miel en el mismo tazón revuelve hasta lograr que los nopales se hayan impregnado de la vinagreta, refrigera al menos por una hora antes de servir.
Puedes decorar con manzanas cortadas en abanico.

> ** E (K/cal) - 169   Pt (g) - 3   A.GrSt(g) - 0.0
> Col(mg) - 0.0   Az(g) - 0.0   Fb(g) – 11

Ensalada Frontera

Rendimiento: 4 porciones · Tiempo de preparación: 0:20 min.

2 cucharaditas aceite de oliva
1 cucharadita cebolla
1 pieza diente de ajo chico picado
1/4 cucharadita chiles de árbol picados
1 1/2 tazas granos de elote
2 piezas pimientos rojos

1/2 taza jícama en cubos
1 cucharada cilantro picado
1/4 cucharadita sal y pimienta
1/4 taza vinagreta de chile ancho
20 hojas lechugas mixtas
8 tiras queso panela Lala

Vacía en un sartén a fuego medio el aceite de oliva, deja que se caliente para agregar la cebolla, el ajo y el chile de árbol, mueve el sartén durante dos minutos evitando que cambien de color, ahora agrega los granos de elote y los pimientos y sube el fuego a alto, dejando que los granos de elote cambien ligeramente de color, en este momento agrega la jícama y el cilantro, espolvorea con sal y pimienta y retira del fuego.
Vacía en un tazón y deja enfriar.
Una vez que se haya enfriado agrega la vinagreta y revuelve para después servir sobre una cama de lechugas y decorar con unas tiras de queso panela Lala.

** E (K/cal) - 217	Pt (g) - 10	A.GrSt(g) - 4
Col(mg) - 26	Az(g) - 4	Fb(g) – 3

Ensalada Nicoise con Atún al *Grill*

Rendimiento: 5 porciones · Tiempo de preparación: 0:30 min.

300 gramos atún fresco en medallones (4 piezas)
4 cucharaditas vinagreta de alcaparras
500 gramos papas cambray rojas
300 gramos lechugas mixtas
200 gramos jitomates cherry

200 gramos ejotes blanqueados
2 piezas huevos cocidos
15 piezas aceitunas negras
1 taza vinagreta de alcaparras

Barniza el atún con la vinagreta de alcaparras, tápalo y refrigéralo durante una hora. Hornea las papas previamente barnizadas con la vinagreta aproximadamente 25 minutos a 200° C. Vacía en un tazón las lechugas, jitomates, ejotes, el huevo cortado a la mitad y las aceitunas. Agrega la vinagreta y las papas, revuelve. Cocina los medallones de atún en el grill o plancha para después incorporar el atún al tazón y servir de inmediato.

** E (K/cal) - 289	Pt (g) - 20	A.GrSt(g) - 1
Col(mg) - 132	Az(g) - 0.0	Fb(g) – 2

TORRE DE JITOMATES CON QUESO PANELA AL AJILLO

Rendimiento: 4 porciones · Tiempo de preparación: 0:15 min.

1 cucharada aceite de oliva
1/2 cucharadita ajo picado
1/4 cucharadita romero picado
12 rebanadas queso panela Lala, 1 cm de alto y circulares
3 piezas jitomates bola
1 taza vinagreta de orégano y balsámico

Pon a calentar en un sartén el aceite de oliva, agrega el ajo sin dejar que cambie de color, agrega el romero picado y mueve con una pala, retira del sartén el aceite y ajo con romero.

Barniza con una brocha cada una de las rebanadas de queso panela Lala por los dos lados y ponlas una a una en el sartén hasta que tomen un color café claro, en este momento retíralas del fuego y conserva por separado a temperatura ambiente mientras cortas en rebanadas circulares el jitomate.

Sirve en el plato una rebanada de jitomate y encima coloca una de queso usa tres piezas para cada porción, rocía con la vinagreta.

Puedes decorar con una rama de romero clavada en el jitomate de hasta arriba.

** E (K/cal) - 306	Pt (g) - 25	A.GrSt(g) - 13
Col(mg) - 95	Az(g) - 0.0	Fb(g) - 0.7

Fetuccini con Jitomates al Horno

Rendimiento: 4 porciones · Tiempo de preparación: 0:12 min.

2 piezas jitomates
4 cucharaditas de aceite de oliva
1 cucharada ajo picado
1 cucharada albahaca picada
1 cucharadita sal
1 cucharada de aceite Capullo
1 cucharada cebolla
2 cucharadas vinagre balsámico
1 taza queso panela Lala rallado
2 tazas fetuccini cocido en agua

Corta los jitomates a la mitad y barnízalos con el aceite de oliva, ajo, albahaca y sal en partes iguales. Métetlos al horno a 200° C por 10 minutos. Mientras tanto pon el aceite Capullo en un sartén. Vacíale la cebolla y déjala en el sartén hasta que esté transparente. Agrega el vinagre balsámico y el queso panela Lala. Baja el fuego a la mitad, corta los jitomates en cuartos y agrégalos al sartén al mismo tiempo que vacías la pasta. Deja en el fuego sólo hasta que se caliente la pasta y sirve.

** E (K/cal) - 175   Pt (g) - 11   A.GrSt(g) - 4
Col(mg) - 32   Az(g) - 0.0   Fb(g) - 0.4

Ensalada de Camarones con Granos de Elote Rostizados

Rendimiento: 4 porciones · Tiempo de preparación: 0:20 min.

1 cucharadita aceite Capullo
1/2 cucharadita ajo
1 cucharada cebolla
1/8 cucharadita sal
20 piezas camarones limpios
1 1/2 taza granos de elote
3 cucharadas mayonesa light
1 cucharada albahaca picada
3 cucharadas jugo de limón
20 gotas salsa picante
1 cucharadita salsa inglesa
1/4 cucharadita sal

Pon en un sartén el aceite Capullo, agrega el ajo y cebolla picados, mueve para evitar que cambien de color y espolvorea con sal los camarones y ponlos en el sartén, deja los camarones en el fuego, moviéndolos constantemente, hasta que los camarones cambien de color a naranja y estén ligeramente firmes.

Retira del fuego los camarones y en ese mismo sartén vacía los granos de elote, ponlos a fuego medio hasta que tomen un color café muy claro.

Mientras tanto, pica los camarones del tamaño de los granos de elote.

Retira los granos de elote una vez que hayan tomado el color mencionado y ponlos en un recipiente con los camarones.

Ahora en un tazón pon la mayonesa, agrega la albahaca picada, el jugo de limón, salsa picante e inglesa, agrega la sal, revuelve hasta incorporar.

Pon en este recipiente los camarones y los granos de elote, mezcla perfectamente y refrigera 5 minutos.

Puedes servir esta ensalada sobre unas hojas de lechuga francesa y decorar con jitomate.

** E (K/cal) - 142	Pt (g) - 9	A.GrSt(g) - 0.1
Col(mg) - 44	Az(g) - 5	Fb(g) – 2

Carpaccio de Res

Rendimiento: 4 porciones · Tiempo de preparación: 0:15 min.

2 cucharaditas ajo picado
1/4 taza aceite de oliva
1/4 taza jugo de limón
1 cucharadita alcaparras picadas
Sal y pimienta negra al gusto
1 pieza filete de res congelado 200 grs
1/4 taza queso parmesano en láminas delgadas

Mezcla en un tazón el ajo y el aceite de oliva, agrega el jugo de limón mientras continúas mezclando, ya por último agrega las alcaparras y rectifica el sabor con sal y pimienta.

Rebana muy finamente el filete de res en láminas mientras aún está congelado, coloca las láminas de inmediato en un plato y sirve acompañado de la salsa de aceite de oliva y alcaparras, para finalizar decora con el queso parmesano.

** E (K/cal) - 210	Pt (g) - 6.09	A.GrSt(g) - 3.07
Col(mg) - 17	Az(g) - 0.00	Fb(g) - 0.28

CARPACCIO DE SANDÍA

Ésta es mi versión de un carpaccio pero lo hago con una de mis frutas favoritas, queda super fresco ya que la sandía nos proporciona agua esencial para nuestro organismo, al igual que vitamina E por otro lado potasio del aguacate y vitamina C de los cítricos utilizados, en esta receta uso vinagre de arroz porque tiene un sabor ligeramente dulce y es más suave que el vinagre blanco o el de manzana.

Rendimiento: 4 porciones · Tiempo de preparación: 10 min.

Carpaccio
1/2 pieza sandía
1/2 pieza aguacate sin semilla
1 taza lechugas mixtas
1/4 taza láminas de queso parmesano

Vinagreta
1 cucharada echalote o cebolla picada
1/4 taza aceite de oliva de limón
1/4 taza jugo de naranja
2 cucharadas vinagre de arroz o manzana
1 cucharadita miel de abeja
Sal al gusto
10 gajos naranja, mandarina o toronja

Para preparar el Carpaccio:
Corta láminas muy delgadas de sandía y sírvelas en un plato frío, complementa el platillo con el aguacate, la lechuga y las láminas de queso parmesano.

Para preparar la vinagreta:
Licúa o mezcla en un tazón los ingredientes para la vinagreta y rocía el Carpaccio con la misma, sirve inmediatamente.

** E (K/cal) - 89	Pt (g) - 1.64	A.GrSt(g) - 1.20
Col(mg) - 1	Az(g) - 0.44	Fb(g) - 0.78

Ensalada de Queso Panela con Vinagreta de Jamaica

Rendimiento: 4 porciones · Tiempo de preparación: 0:15 min.

Vinagreta
5 cucharadas de jarabe de jamaica (para agua)
5 cucharadas de vinagre blanco
5 cucharadas de aceite de oliva
1 cucharada de hojas de cilantro picado
Sal y pimienta blanca al gusto

Los quesos
1 cucharada de ajo picado
2 cucharadas de caldillo de chile chipotle adobado
2 cucharadas de aceite de oliva
20 fajitas o círculos de queso panela Lala
Sal y pimienta negra

Ensalada
3 tazas de lechugas mixtas
1/2 taza de apios (en bastones, juliana)
1/2 taza de germinado de alfalfa opcional

Vinagreta:
Licúa todos los ingredientes hasta integrar y reserva en refrigeración.

Quesos:
Coloca en un tazón el ajo, chile chipotle y aceite, mézclalos, cubre los quesos con esta mezcla y espolvoréalos con sal y pimienta al gusto, precalienta un sartén o comal y sella los quesos (que cambien ligeramente de color) conserva por separado.

Ensalada:
Pon todos los ingredientes en una ensaladera o platón, agrega los dedos de queso y por último agrega la vinagreta.

** E (K/cal) - 486   Pt (g) - 27.9   A.GrSt(g) - 23.2
Col(mg) - 187.2   Az(g) - 12   Fb(g) - 0.5

y Salsas

MAYONESA AL PESTO

Rendimiento: 1 1/2 taza · Tiempo de preparación: 0:05 min.

La mayonesa al pesto es super versátil lo mismo la puedes usar para pastas, que para ensaladas pescados o pollo

1/2 taza mayonesa light
1/2 taza yoghurt natural sin grasa
3 cucharadas pesto de albahaca
1 cucharada vinagre blanco
1/4 cucharadita pimienta verde o negra molida

Mezcla todos los ingredientes en un tazón hasta integrar.

** E (K/cal) - 27	Pt (g) - 0.3	A.GrSt(g) - 0.1
Col(mg) - 0.2	Az(g) - 0.0	Fb(g) - 0.0

MAYONESA AL CURRY

Esta mayonesa te recomiendo la uses con pescados y mariscos.

Rendimiento: 1 Taza · Tiempo de preparación: 0:10 min.

1/3 taza mayonesa light
1/3 taza yogurt natural sin grasa
1 1/2 cucharaditas curry en polvo
2 cucharaditas azúcar
1 cucharadita cebollín picado
1 cucharadita jugo de limón
1 1/2 cucharadita salsa de soya baja en sodio
1 cucharadita vinagre de manzana
Unas gotas salsa picante

Mezcla todos los ingredientes en un tazón.

** E (K/cal) - 20	Pt (g) - 0.3	A.GrSt(g) - 0.0
Col(mg) - 0.0	Az(g) - 0.0	Fb(g) - 0.0

VINAGRETA DE CHILE ANCHO

Rendimiento: 1 1/2 taza · Tiempo de preparación: 0:05 min.

4 piezas chile ancho hidratado y sin semillas (40 grs)
1 cucharada cebolla picada
1 cucharadita ajo
1/2 taza vinagre de manzana
1/2 taza uvas pasas
1/4 taza jugo de naranja
4 cucharadas aceite de oliva
1/4 cucharadita sal

Licúa todos los ingredientes hasta incorporar.

** E (K/cal) - 23	Pt (g) - 0.2	A.GrSt(g) - 0.2
Col(mg) - 0.0	Az(g) - 0.0	Fb(g) - 0.0

VINAGRETA DE TAMARINDO

Uno de mis ingredientes favoritos es el tamarindo por lo que está demás
que te diga que esta vinagreta me encanta.

Rendimiento: 1 1/2 Tazas · Tiempo de preparación: 0:10 min.

1/4 taza agua
1 cucharada azúcar mascabado
1 taza pulpa de tamarindo
1 pieza echalote picado
1 1/2 cucharaditas salsa de soya
2 cucharaditas aceite capullo

Disuelve el azúcar en agua y lícuala con el resto de los ingredientes.

** E (K/cal) - 32	Pt (g) - 0.1	A.GrSt(g) - 0.0
Col(mg) - 0.0	Az(g) - 0.0	Fb(g) - 0.0

VINAGRETA DE CHILE JALAPEÑO

Rendimiento: 1 1/2 Tazas · Tiempo de Preparación: 0:06 min.

3 piezas chiles jalapeños en vinagre, picados
1 cucharadita ajo picado
1 cucharadita mostaza en polvo
1/2 taza vinagre de manzana
1/2 taza agua
1/4 taza aceite de oliva extra virgen
1 cucharadita sal
1/2 cucharadita pimienta negra molida

Pon en un tazón el chile jalapeño, ajo, mostaza, vinagre y agua, revuelve hasta integrar, agrega poco a poco y mientras mueves el aceite de oliva, sal y pimienta.
Puedes conservarla en refrigeración hasta tres semanas.

** E (K/cal) - 31	Pt (g) - 0.1	A.GrSt(g) - 0.5
Col(mg) - 0.0	Az(g) - 0.0	Fb(g) - 0.0

VINAGRETA DE BALSÁMICO Y ORÉGANO

Rendimiento: 2 Tazas · Tiempo de preparación: 10 min.

El secreto de esta vinagreta está en el vinagre balsámico. Éste le va a dar un sabor dulce y ácido, puedes usar esta vinagreta con pollo, carne o con papas cocidas

5 cucharadas aceite Capullo
6 cucharadas vinagre balsámico
1 1/2 taza caldo de vegetales
2 cucharadas echalote picado
2 cucharadas mostaza
1 pieza ajo chico picado
1 1/2 cucharada salsa de soya baja en sodio
1 cucharadita orégano en polvo
1 cucharada fécula de maíz disuelta en una cucharada de agua

Licúa todos los ingredientes menos la fécula de maíz, vacíalos en una olla y ponlos en la lumbre (a fuego medio) por 3 minutos, agrega la fécula de maíz y revuelve, retira del fuego y enfría, al enfriarse debe tomar una textura más espesa.
Fécula de maíz = Maicena
Vinagre balsámico = vinagre de origen italiano muy apreciado por su sabor y proceso de elaboración.

** E (K/cal) - 13	Pt (g) - 0.2	A.GrSt(g) - 0.1
Col(mg) - 0.1	Az(g) - 0.0	Fb(g) - 0.1

VINAGRETA DE ALCAPARRAS

Éste es una exquisita vinagreta para combinar con vegetales verdes, o para pescados y pollo, si cocinas un simple pescado o pollo a la plancha y agregas esta vinagreta te aseguro que tendrás un platillo de clase gourmet.

Rendimiento: 1 taza · tiempo de preparación: 0:08 min.

1/4 taza vinagre de arroz o blanco
1/4 cucharadita sal
1/4 cucharadita pimienta negra molida
1 pieza echalote picado
1 cucharada alcaparras picadas
1 cucharada mostaza
1/2 taza agua
2 cucharadas aceite Capullo

Revuelve el vinagre y la sal en un tazón hasta que se disuelva la sal, agrega el resto de los ingredientes menos el aceite y mézclalos.
Ahora agrega el aceite Capullo poco a poco y mientras estás revolviendo.

** E (K/cal) - 18	Pt (g) - 0.2	A.GrSt(g) - 0.1
Col(mg) - 0.0	Az(g) - 0.0	Fb(g) - 0.0

VINAGRETA DE MIEL

Esta vinagreta se lleva de maravilla con nopales y espinacas o para marinar pollo.

Rendimiento: 1 Taza • Tiempo de preparación: 0:10 min.

1/2 taza Agua
1 cucharada fécula de maíz
1 cucharadita cebolla
1/4 taza vinagre
1/2 cucharadita sal
1 cucharada mostaza
2 cucharadas miel de abeja

Calienta el agua y disuelve la fécula de maíz, vacía la fécula de maíz en la licuadora con el resto de los ingredientes, deja enfriar y conserva tapado hasta por dos semanas.

** E (K/cal) - 12	Pt (g) - 0.1	A.GrSt(g) - 0.0
Col(mg) - 0.0	Az(g) - 0.0	Fb(g) - 0.0

VINAGRETA DE CHILE CHIPOTLE

Rendimiento: 1 1/2 tazas · Tiempo de preparación: 0:06 min.

1/2 cucharadita salsa inglesa
1 cucharadita cebolla picada
1 taza jitomate sin semillas picado
1 cucharada cilantro picado
1 cucharadita adobo de chile chipotle
1 taza vinagre de manzana
1/4 taza aceite de oliva
1/4 cucharadita sal

Licúa todos los ingredientes hasta integrar.

```
** E (K/cal) - 4   Pt (g) - 0.1   A.GrSt(g) - 0.0
   Col(mg) - 0.0   Az(g) - 0.0   Fb(g) - 0.0
```

CHIMICHURRI

Rendimiento: 1 taza · Tiempo de preparación: 0:05 min.

1 taza hojas de perejil
1/2 taza aceite de oliva
1/3 taza vinagre de vino tinto o de manzana
1/4 taza hojas de cilantro
1 diente ajo
1 cucharadita pimiento rojo picado
1/2 cucharadita sal

Licúa todos los ingredientes, tapa, deja a temperatura ambiente por una hora y sirve.

```
** E (K/cal) - 23   Pt (g) - 0.2   A.GrSt(g) - 0.2
   Col(mg) - 0.0   Az(g) - 0.0   Fb(g) - 0.0
```

Salsa de Chile Habanero
y Cebolla Morada

Rendimiento: 2 tazas · Tiempo de preparación: 0:15 min.

1 pieza cebolla morada fileteada
3 tazas agua caliente
1 taza vinagre de manzana
4 piezas pimienta gorda
3 piezas pimienta negra entera
1/2 cucharadita sal
1 pieza chile habanero

Pon la cebolla morada en un recipiente y agrégale el agua caliente, déjala en este recipiente con agua al menos 5 minutos, enjuaga las cebollas y colócalas en otro recipiente, agrégales el vinagre, las pimientas, la sal y el chile. Mete a refrigerar y usa con extremo cuidado.

** E (K/cal) - 2	Pt (g) - 0.0	A.GrSt(g) - 0.0
Col(mg) - 0.0	Az(g) - 0.0	Fb(g) - 0.0

Aderezo César

Ésta es una alternativa hecha a base de tofú (soya) sin utilizar yemas de huevo y el sabor es lo más cercano al aderezo César, pero saludable.

Rendimiento: 1 3/4 tazas · Tiempo de preparación: 0:08 min.

1 pieza tofú 250 grs.
6 cucharadas vinagre balsámico
1 cucharadita mostaza
8 piezas anchoas
4 cucharadas queso parmesano
1 cucharada salsa inglesa
1 cucharadita pimienta negra molida
3 cucharadas aceite Capullo

Licúa todos los ingredientes hasta integrar. Conserva en refrigeración hasta por 2 semanas.

** E (K/cal) - 16	Pt (g) - 1	A.GrSt(g) - 0.2
Col(mg) - 1	Az(g) - 0.1	Fb(g) - 0.0

Pesto de Albahaca

Rendimiento: 3/4 taza · Tiempo de preparación: 0:12 min.

5 cucharadas hojas de albahaca
40 gramos nueces tostadas
3 cucharadas aceite de oliva extra virgen
1 cucharadita ajo picado
2 cucharadas agua
30 gramos queso parmesano rallado

Pon en una licuadora o procesador de alimentos las hojas de albahaca, nueces, aceite de oliva y ajo, licúa hasta formar una pasta y agrega poco apoco el agua mientras está encendido el motor de la licuadora o procesadora, agrega el queso y continúa licuando hasta integrar.
Vacía en un recipiente y conserva en refrigeración.

** E (K/cal) - 60	Pt (g) - 1	A.GrSt(g) - 1
Col(mg) - 2	Az(g) - 0.1	Fb(g) - 0.1

Guacamole de Espárragos

Rendimiento: 2 tazas · Tiempo de preparación: 0:10 min.

2 tazas espárragos blanqueados y en cubos
1 1/2 cucharadas jugo de limón
3 cucharaditas cebolla morada picada
1 pieza jitomate guaje en cubos
1 cucharada cilantro picado
1/4 cucharadita pimienta negra molida
1/3 taza crema Lala
1/2 pieza chile serrano picado
1 pizca chile piquín

Licuar todos los ingredientes. Una vez licuados pásalos a un tazón, tápalo y métalo a refrigerar por una noche (12 hrs) antes de servir.

** E (K/cal) - 7	Pt (g) - 0.7	A.GrSt(g) - 0.0
Col(mg) - 0.0	Az(g) - 0.0	Fb(g) - 0.1

SALSA VERDE

Rendimiento: 2 tazas · Tiempo de preparación: 0:04 min.

2 cucharadas de aceite Capullo
1 diente ajo
1/4 pieza cebolla
1 pieza chile de árbol sin semillas
2 piezas chiles serrano
10 piezas tomates verdes
4 cucharadas cilantro picado
1/2 cucharadita sal
1/4 taza agua

Pon aceite Capullo en un sartén y pon tostar el ajo, cebolla y chiles, retíralos del sartén y vacíalos en la licuadora con el resto de los ingredientes, licúa y refrigera.

** E (K/cal) - 3	Pt (g) - 0.1	A.GrSt(g) - 0.0
Col(mg) - 0.0	Az(g) - 0.0	Fb(g) - 0.0

SALSA BARBECUE

Rendimiento: 4 tazas · Tiempo de preparación: 0:25 min.

1/2 pieza cebolla picada
3 cucharaditas ajo picado
3 cucharaditas chile jalapeño en vinagre picado
2 cucharadas aceite Capullo
1/4 cucharadita orégano en polvo
3 cucharaditas adobo de chile chipotle

2 tazas puré de tomate
2 tazas vinagre de manzana
3/4 taza azúcar mascabado
1/4 taza salsa inglesa
1/2 cucharadita sal

Suda en un sartén la cebolla, ajo y chiles jalapeños Capullo hasta que las cebolla esté transparente, agrega el adobo de chile chipotle y deja en el fuego por 30 segundos.

Agrega el puré de tomate en el sartén y baja el fuego a la mitad, moviendo constantemente por 7 minutos aproximadamente.

Después de 7 minutos agrega el resto de los ingredientes, deja que hierva y reduzca (evapore) por otros 15 minutos.

Retira del fuego y enfría puedes refrigerarla por 1 semana o congelarla hasta por 1 mes.

** E (K/cal) - 8	Pt (g) - 0.1	A.GrSt(g) - 0.0
Col(mg) - 0.0	Az(g) - 0.0	Fb(g) - 0.0

SALSA DE CÍTRICOS

Rendimiento: 2 tazas · Tiempo de preparación: 0:20 min.

1 cucharadita aceite de oliva	1/4 taza jugo de limón
2 cucharadas echalote	1/4 taza jugo de toronja
4 cucharadas pimiento rojo picado en cubos	10 gajos mandarina
1 cucharada rabos de cebolla cambray picados	10 gajos naranja
3 cucharaditas salsa de soya baja en sodio	10 gajos toronja
2 tazas jugo de naranja	1/4 cucharadita sal

Pon en un sartén el aceite de oliva, agrega al sartén el echalote y pimientos, mueve continuamente evitando que cambien de color, agrega la salsa de soya y deja en el fuego por unos segundos.

Baja el fuego a la mitad y agrega el jugo de naranja, limón y toronja (opcional), deja que se reduzca (evapore) a la mitad y agrega los gajos de naranja, toronja y mandarina, dejándolos en el fuego por 2 minutos.

Rectifica el sabor con la sal si es necesario y retira del fuego.

```
** E (K/cal) - 6   Pt (g) - 0.1   A.GrSt(g) - 0.0
   Col(mg) - 0.0   Az(g) - 0.0    Fb(g) - 0.0
```

SALSA DE CHILE ANCHO

Rendimiento: 2 tazas · Tiempo de preparación: 0:20 min.

135 gramos chile ancho	45 gramos puré de tomate
1 cucharadita aceite Capullo	120 ml caldo de pollo
110 gramos cebolla picada	1 cucharadita azúcar mascabado
1 diente ajo fileteado	1 cucharada vinagre de manzana
1 pieza pimiento rojo en cubos	1 cucharadita orégano

Hidrata los chiles en una olla con agua en ebullición, hasta que se suavicen, límpialos quitándoles las semillas, venas y rabos.

Agrega aceite Capullo en un sartén y agrégale la cebolla, el ajo, los pimientos y mantén en el fuego sin dejar que cambien de color, agrégale el puré de tomate y deja en fuego medio hasta que hierva.

Agrega al sartén los chiles, el caldo de pollo, azúcar, vinagre, y orégano.

Deja en fuego medio por 10 minutos y licúa hasta obtener una textura suave.

```
** E (K/cal) - 13   Pt (g) - 0.4   A.GrSt(g) - 0.0
   Col(mg) - 0.0    Az(g) - 0.1    Fb(g) - 0.1
```

Salsa Pico de Gallo con Soya

Esta salsa la puedes usar con cualquier ensalada.
Yo te la recomiendo con las tortitas de cangrejo o con chips de tortilla.

Rendimiento: 3 tazas · Tiempo de preparación: 5 min.

6 piezas jitomates
4 cucharadas cebolla picada
4 cucharadas cilantro picado
2 piezas chiles serranos picados
1/4 cucharadita orégano polvo
1/4 cucharadita sal
1 cucharada jugo de limón
1 cucharadita salsa de soya

Mezcla todos los ingredientes en un tazón.

** E (K/cal) - 3   Pt (g) - 0.1   A.GrSt(g) - 0.0
Col(mg) - 0.0   Az(g) - 0.0   Fb(g) - 0.1

Salsa de Cilantro

Te recomiendo uses esta salsa con pollo, pescado o pastas.

Rendimiento: 2 tazas · Tiempo de preparación: 0:07 min.

1 cucharadita aceite Capullo
3 cucharadas cebolla picada
1 cucharadita ajo picado
2 cucharaditas salsa de soya baja en sodio
2 tazas caldo de vegetales
1 cucharada fécula de maíz, disuelta
en una cucharada de agua
1 taza hojas de cilantro
2 cucharadas jugo de limón

Pon aceite Capullo en un sartén y saltea la cebolla y ajo sin que cambien de color, agrega la salsa de soya, el caldo de vegetales, baja el fuego a la mitad y deja que hierva, agrega la fécula de maíz y revuelve hasta integrar, agrega el cilantro y el jugo de limón, deja en el fuego por tres minutos, para después licuar perfectamente.

** E (K/cal) - 5   Pt (g) - 0.2   A.GrSt(g) - 0.0
Col(mg) - 0.2   Az(g) - 0.0   Fb(g) - 0.1

Salsa de Mango y Chile Jalapeño

Rendimiento: 1 taza · Tiempo de preparación: 0:12 min

1 cucharadita aceite de oliva
2 cucharaditas Echalote picado
1 cucharada rabos de cebolla cambray o cebollín picados
1 cucharada chiles jalapeños en vinagre, picados
3 cucharadas vinagre de arroz
2 piezas mango picado (300 g)
1 cucharadita jugo de limón
1 cucharadita sal

Pon aceite de oliva en un sartén, una vez caliente agrégale el echalote y el cebollín picado, moviendo frecuentemente, agrega los chiles jalapeños y el vinagre de arroz, deja que se evapore a la mitad y agrega el mango, el jugo de limón y la sal. Deja en el fuego un minuto y retira.

** E (K/cal) - 5   Pt (g) - 0.1   A.GrSt(g) - 0.0
Col(mg) - 0.0   Az(g) - 0.0   Fb(g) - 0.1

Salsa de Chipotle y Fruta

Rendimiento: 1 taza · Tiempo de preparación: 0:15 min.

1/4 taza manzana picada
1/4 taza durazno en almíbar picado
1/4 taza piña en almíbar picado
2 cucharadas cebolla morada
1/4 taza adobo de chipotle
1 cucharada cilantro picado

Mezcla todos los ingredientes en un tazón y refrigera por dos horas antes de servir.

** E (K/cal) - 7   Pt (g) - 0.1   A.GrSt(g) - 0.0
Col(mg) - 0.0   Az(g) - 1   Fb(g) - 0.1

SOPA DE TORTILLA

Rendimiento: 4 porciones · Tiempo de preparación: 0:20 min.

6 piezas tortillas de maíz
1 cucharadita aceite Capullo
1 pieza cebolla en cubos
2 dientes ajo
4 piezas jitomates en cubos
1 pieza chile pasilla sin semillas ni rabo
1 litro caldo de pollo
2 hojas epazote
4 rebanadas aguacate en cubos (40 gr)
1/2 taza queso panela Lala rallado
1/8 cucharadita sal

Separa 4 de las 6 tortillas. Las dos que restan córtalas en juliana y ponlas en un sartén sin grasa a fuego bajo hasta que se endurezcan y tomen una textura crujiente. Consérvalas por separado.

Ahora pon en un sartén el aceite Capullo, agrega la cebolla, ajo, jitomate y el chile pasilla, deja que las cebollas cambien de color y que el jitomate esté suave, en este momento agrega el caldo de pollo y el epazote. Deja que hierva y agrega el resto de las tortillas cortadas en cuartos, baja el fuego a la mitad y conserva en el fuego por tres minutos o hasta que las tortillas se suavicen. Retira del fuego, saca el epazote y licúa perfectamente. Vuelve a calentar la sopa, agrega la sal y sirve caliente, acompañada de la juliana de tortillas crujientes el aguacate y queso panela Lala rallado.

** E (K/cal) - 267   Pt (g) - 14   A.GrSt(g) - 5
Col(mg) - 32   Az(g) - 0.1   Fb(g) - 3

Sopa de Verduras y Pesto

Rendimiento: 4 porciones · Tiempo de preparación: 0:25 min.

1 cucharadita aceite Capullo
4 cucharadas cebolla picada
1/4 taza zanahoria en cubos
1/4 taza calabazas en cubos
1/4 taza champiñones fileteados
3 cucharadas puré de tomate
1/4 taza chícharos
3 1/2 tazas caldo de pollo
2 rebanadas pan de caja tostado
1 cucharada pesto

Agrega aceite Capullo en una olla, agrégale cebolla, zanahoria, calabazas y champiñones, mueve los vegetales continuamente por un par de minutos. Agrega los chícharos y el caldo de pollo, deja que llegue a ebullición para después agregar el puré de tomate, revuelve el puré hasta que se integre en la sopa y sirve en los platos. Corta el pan en cuartos, divide el pesto en los cuatro panes y pónlo dentro de cada uno de los platos por servir.

** E (K/cal) - 79   Pt (g) - 4   A.GrSt(g) - 0
Col(mg) - 0.5   Az(g) - 0.8   Fb(g) – 1

Caldo de Pollo

Rendimiento: 4 porciones · Tiempo de preparación: 0:25 min.

1 kg huesos de pollo
1 1/2 litro agua fría
1/2 pieza cebolla en cubos
2 piezas zanahorias en cubos
1 tallo apio en cubos
1 pieza bouquet garni

Empieza por enjuagar los huesos.
Pon el litro de agua en una olla, agrega los huesos de pollo dentro de la olla y ponla a fuego medio por tres horas, quitando la grasa de vez en cuando. Agrega los vegetales y el bouquet garni en la olla y déjalo en fuego bajo por una hora.
Cuela el caldo pasándolo por una tela delgada y refrigera.
Bouquet garni = cilantro, laurel, tomillo y mejorana envueltos en poro.

** E (K/cal) - 89   Pt (g) - 2   A.GrSt(g) - 0.1
Col(mg) - 0.0   Az(g) - 0.0   Fb(g) – 5

SOPA DE CHAMPIÑONES Y FLOR DE CALABAZA

Rendimiento: 4 porciones · Tiempo de preparación: 0:15 min.

1 cucharadita aceite Capullo
4 cucharadas cebolla picada
1 diente ajo picado
1 1/2 tazas champiñones fileteados
1 taza hojas de flor de calabaza
3 hojas epazote
1 1/2 litro caldo de pollo
1/4 cucharadita sal
1 cucharada jerez (opcional)

Pon en un sartén aceite Capullo, agrega la cebolla y el ajo, mueve constantemente evitando que cambien de color, agrega el champiñón y deja en el fuego por un par de minutos, ya que suelten su jugo agrega la flor de calabaza, y deja en el fuego un minuto más, mientras continúas moviendo, agrega el epazote y el caldo de pollo, baja el fuego a la mitad y deja en el fuego hasta que llegue a ebullición.
Rectifica el sabor con sal y puedes agregar el jerez, antes de servir.

** E (K/cal) - 38	Pt (g) - 5	A.GrSt(g) - 0.0
Col(mg) - 0.0	Az(g) - 0.0	Fb(g) - 0.2

SOPA DE FRIJOLES

Rendimiento: 4 porciones · Tiempo de preparación: 0:20 min.

10 gr tocino picado
2 tazas frijoles cocidos sin caldillo
1 cucharada cebolla picada
1 cucharadita ajo picado
1 cucharadita chile serrano picado
1 cucharada chile ancho hidratado sin semillas

1 pieza jitomate picado sin semillas
2 hojas epazote
1 litro caldo de pollo
1/4 cucharadita sal
1/4 cucharadita pimienta

Vacía en la olla el tocino y déjalo hasta que suelte su propia grasa, en ese momento agrega los frijoles previamente cocidos, la cebolla, el ajo, el chile serrano, el chile ancho y el jitomate, baja la flama a fuego medio, deja por 3 minutos, mientras mueves el contenido de la olla, agrega el epazote y enseguida agrega el caldo de pollo, deja que llegue a ebullición, para después licuar y colar. Rectifica el sabor con sal y pimienta.

** E (K/cal) - 38	Pt (g) - 5	A.GrSt(g) - 0.0
Col(mg) - 0.0	Az(g) - 0.0	Fb(g) - 0.2

Sopa de Palmitos y Pimientos

Rendimiento: 4 porciones · Tiempo de preparación: 0:25 min.

1 1/2 pieza pimiento amarillo escalfado
1 1/2 pieza pimiento verde escalfado
1 1/2 pieza pimiento rojo escalfado
9 piezas palmitos
2 tazas caldo de vegetales
2 cucharaditas vinagre de vino tinto
1 1/2 cucharadita aceite de oliva

Licua por separado cada uno de los pimientos y el palmito con partes iguales de caldo de vegetales y vinagre.

** E (K/cal) - 117   Pt (g) - 5   A.GrSt(g) - 0.5
Col(mg) - 2   Az(g) - 0.0   Fb(g) – 3

Chowder (Sopa) de Elote y Chile Chipotle

Rendimiento: 4 porciones · Tiempo de preparación: 0:20 min.

1 cucharada aceite Capullo
1/2 pieza cebolla en cubos
1 diente ajo
1/4 pieza poro en cubos
1 1/2 taza granos de elote
1 cucharada adobo de chile chipotle
3 tazas caldo de pollo
1/2 taza leche descremada
1/8 cucharada sal
1 cucharada cilantro picado
c/s chile piquín

Pon el aceite Capullo en una olla y agrega la cebolla, ajo, poro y granos de elote, mueve constantemente hasta que los elotes tomen un color dorado sin ser oscuro, agrega el adobo de chile chipotle y el caldo de pollo, deja que hierva, licúalo y vuelve a vaciar en la olla pero ahora agrégale la leche, revuelve y deja a fuego medio, hasta que hierva nuevamente, agrega la sal y sirve caliente en los platos, puedes decorar con cilantro y chile piquín.

** E (K/cal) - 201   Pt (g) - 14   A.GrSt(g) - 0.0
Col(mg) - 0.0   Az(g) - 4   Fb(g) – 2

SOPA *HOT AND SOUR*

Rendimiento: 4 porciones · Tiempo de preparación: 0:30 min.

5 gotas aceite de ajonjlí
2 cucharadas cebolla picada
1 cucharadita ajo picado
1 cucharadita jengibre picado
6 tazas caldo de vegetales
4 hojas limón
1 1/2 piezas chiles de árbol sin semillas
1 1/2 cucharada vinagre de arroz
2 cucharadas miel de maíz
1/2 taza tofú firme en cubos
1/2 taza hongos shiitake rebanados, sin tallos
1 taza espinacas

Pon en una olla con unas gotas de aceite de ajonjolí, la cebolla, ajo y jengibre, agrega el caldo de vegetales y el resto de los ingredientes menos la espinaca y tofú, baja el fuego a la mitad deja hervir por 15 minutos, agrega la espinaca y el tofú.
Sirve muy caliente.

** E (K/cal) - 203	Pt (g) - 11	A.GrSt(g) - 0.8
Col(mg) - 7	Az(g) - 0.2	Fb(g) - 3

SOPA DE PORO Y PAPA

Rendimiento: 4 porciones · Tiempo de preparación: 0:30 min.

1 cucharadita aceite Capullo
1 taza poro limpio y en rodajas
2 tazas papas cortadas en cubos
5 tazas caldo de vegetales
1/4 cucharadita pimienta negra molida
1 cucharadita sal

Pon aceite Capullo en una olla y agrega el poro en rodajas, mueve constantemente y déjalo en la olla hasta que esté suave, en ese momento agrega la papa y el caldo de vegetales, deja que llegue a ebullición, baja el fuego a medio y deja que reduzca el caldo por 10 minutos o hasta que las papas estén suaves, agrega la pimienta negra y sal.

** E (K/cal) - 253	Pt (g) - 8	A.GrSt(g) - 0.5
Col(mg) - 6	Az(g) - 0.0	Fb(g) - 3

Pechugas de Pollo Rellenas de Espinacas con Tocino de Pavo y Queso Doble Crema

Rendimiento: 4 porciones · Tiempo de preparación: 0:30 min.

Éste es un platillo de excelente sabor y además rico en proteínas y hierro.

5 cucharaditas aceite Capullo
4 rebanadas tocino de pavo
1/2 pieza cebolla picada
2 dientes ajo picados
3 tazas espinacas
4 cucharaditas queso crema Lala
Sal y pimienta blanca al gusto
4 piezas medias pechugas de pollo aplanadas y deshuesadas
1/2 taza caldo de pollo

Vacía una cucharadita de aceite Capullo en un sartén precalentado y agrega el tocino, antes que el tocino cambie de color coloca en el sartén la cebolla y el ajo, mueve regularmente para evitar que se queme el ajo y cebolla, agrega la espinaca y baja el fuego a temperatura media. Al suavizarse la espinaca, vacía el queso crema Lala al sartén y revuelve, ahora rectifica el sabor con sal y pimienta blanca, retira del fuego, divide en cuatro porciones y conserva por separado.

Espolvorea las pechugas de pollo con sal y pimienta blanca, coloca una porción de la mezcla de espinacas sobre el centro de cada una de las pechugas y dobla como un sobre (dobla los extremos laterales hacia el centro, cubre con el extremo inferior la espinaca y termina con el extremo superior encima del pollo que cubre la espinaca).

Barniza las pechugas de pollo con el resto del aceite Capullo y séllalas en un sartén previamente calentado, una vez selladas colócalas en un molde para horno, agrega el caldo de pollo dentro del recipiente, cubre con papel aluminio y mete al horno precalentado a 180° C (350° F) aproximadamente 15 minutos. Sírvelas calientes.

** E (K/cal) - 74	Pt (g) - 2.96	A.GrSt(g) - 1.37
Col(mg) - 8	Az(g) - 0.59	Fb(g) - 1.49

Pollo Margarita al Grill

〜

Rendimiento: 4 porciones · Tiempo de preparación: 3 horas 0:25 min.

Este plato principal es muy fácil de preparar. Tiene un balance de proteínas, vitaminas y minerales. El brócoli o brécol es fuente de vitaminas A y C, calcio, hierro y riboflavina entre otros minerales. Es muy importante blanquearlo adecuadamente para evitar perder sus vitaminas y minerales.

Pollo	4 piezas medias pechugas de pollo
1 taza jugo de limón	deshuesada semi aplanadas
1/2 pieza cebolla blanca	
2 dientes ajo	Puré de brócoli y ajos rostizados
3 cucharadas aceite de oliva	1 cabeza ajo
1 1/2 onzas tequila	1/2 pieza cebolla
sal al gusto	1 rama tomillo fresco
pimienta negra al gusto	6 cucharadas aceite de oliva
10 piezas limones	4 tazas brócoli blanqueado (320 gr)
3 piezas naranjas	1 taza yoghurt natural
	sal y pimienta al gusto

Para preparar el Pollo:
Licúa el jugo de limón, la cebolla, el ajo, el aceite de oliva y el tequila. Rectifica el sabor con sal y pimienta negra. Corta en rodajas los limones y las naranjas y marina junto con el pollo en la mezcla anterior por al menos 30 minutos. Cocina las pechugas, limones y naranjas en una parrilla.

Para preparar el Puré de Brócoli:
Corta la parte superior de la cabeza de ajo, ponla sobre una hoja larga de papel aluminio y vacía la mitad del aceite de oliva encima del ajo. Agrega las ramas de tomillo, envuelve con el papel aluminio la cabeza de ajo y mete al horno a 220º C hasta suavizar.
Saca la pulpa de los ajos y vacía en la licuadora, agrega el aceite de oliva y el brócoli, licúa sólo por unos segundos para que la textura sea pesada.
Vacía la mezcla en un sartén a fuego bajo, agrega el yoghurt y rectifica el sabor con sal y pimienta.

TIP: Los alimentos se blanquean hirviéndolos en agua durante un tiempo muy breve, sumergiéndolos luego en agua helada hasta que estén totalmente fríos. La mayoría de las verduras pueden blanquearse con éxito en agua hirviendo y otras sobre vapor, el cual mantiene mejor su forma a la vez que hace que se conserven más nutrientes. El blanqueado inactiva enzimas que son las responsables de la oxidación de los alimentos y sirve para dar textura y resaltar el color del alimento.

```
** E (K/cal) - 92   Pt (g) - 11.80   A.GrSt(g) - 0.46
   Col(mg) - 29   Az(g) - 0.11   Fb(g) - 1.06
```

Pollo Spicy Lemon

Rendimiento: 4 porciones · Tiempo de preparación: 0:25 min.

Te comparto la receta original que me enseñaron en Tailandia.

4 piezas fajitas de pechuga de pollo
1 taza harina integral
1 taza aceite Capullo
4 cucharaditas ajo picado
3 cucharadas cilantro picado, los tallos
1 cucharada chilli jam
o chile de árbol seco sin semillas
2 piezas pimiento verde

2 piezas pimiento rojo
1 pieza cebolla blanca
1 taza caldo de vegetales
1 cucharada salsa de ostión
5 cucharadas salsa de soya baja en sodio
2 cucharaditas azúcar
5 cucharadas jugo de limón
1/4 taza nueces de la india tostadas

Pasa el pollo por la harina y retírale el exceso, cocina el pollo y retira del fuego.

En un wok o sartén vacía un poco de aceite, el ajo, los tallos de cilantro picados y el chilli jam o el chile de árbol. Agrega el chile, los pimientos, la cebolla, el caldo de vegetales, la salsa de ostión, la salsa de soya, el azúcar y por último el jugo de limón. Conserva el caldillo por separado.

Sirve el pollo con vegetales y al final la nuez.

TIP: El wok es uno de los utensilios que se utilizan para un salteado oriental. El salteado oriental es un método fácil y rápido para cocer a fuego alto alimentos finamente cortados con la mínima cantidad de grasa. Es ideal para mantener el color, el sabor, la textura de los alimentos y conservar sus valores nutricionales. El wok es un tipo de sartén, pero con base circular con paredes altas e inclinadas, el cual distribuye el calor más uniformemente que otros utensilios de cocina. Pueden tener un mango largo o dos asas metálicas o de madera. Este tipo de salteado es fácil y rápido, pero la preparación de los ingredientes es importante. Para que todos los ingredientes se cuezan rápida y uniformemente, se cortan en pedazos pequeños. El tradicional y económico wok chino está hecho de acero negro, buen conductor del calor, es preferible al acero inoxidable, el cual apenas lo conduce, se chamusca y no resiste a temperaturas muy elevadas. Existen también wok de bases planas apropiados para placas eléctricas y estufas convencionales. Se venden en diferentes tamaños, aunque el de 35 cm es el más habitual.

Puedes sustituir el chili jam por chile de árbol sin semillas hidratado y licuado con ajo.

Tanto el wok como el chilli jam lo puedes encontrar en tiendas de especialidades orientales o en el barrio chino de tu localidad.

Chilli jam = mermelada de chile

** E (K/cal) - 182	Pt (g) - 4.64	A.GrSt(g) - 1.39
Col(mg) - 5	Az(g) - 1.22	Fb(g) - 1.45

POLLO AL PESTO DE CILANTRO

Rendimiento: 4 porciones · Tiempo de preparación: 0:25 min

El pesto es de origen mediterráneo, está particularmente asociado con la ciudad de Génova, en Italia.
Ésta es mi versión de un pesto mexicano.

2 manojos cilantro grande
200 gramos nuez tostada
2 tazas aceite de oliva
10 tazas queso parmesano
4 cucharadas adobo de chile chipotle
4 piezas medias pechugas, sin hueso

Licúa todos los ingredientes (excepto el pollo) hasta integrar. Marina las pechugas de pollo con el pesto de cilantro por 30 minutos. Prepara las pechugas ya sea horneadas, parrilladas o a la plancha según desees.

** E (K/cal) - 410	Pt (g) - 31.72	A.GrSt(g) - 13.12
Col(mg) - 62	Az(g) - 0.00	Fb(g) - 0.54

POLLO AGRIDULCE ESTILO CHINO

Rendimiento: 4 porciones · Tiempo de preparación: 1 hora 0:35 min.

4 piezas medias pechugas de pollo sin hueso sin piel
sal al gusto
1 cucharadita ajinomoto
1 taza vino de cocina chino
1/4 taza harina de trigo
1 cucharada aceite de oliva
1 cucharada ajo
12 piezas cebolla cambray
3 cucharadas jengibre
4 cucharadas pasta de tomate o puré de tomate
3 cucharadas azúcar
2 cucharaditas fécula de maíz
Salsa de soya al gusto
2 cucharadas harina de papa o de trigo
1 taza piña o fresas

Para preparar el Pollo Chino Agridulce con Fresas y Piñas:
Corta el pollo en cubos. Marina con ajinomoto, sal y vino de cocina chino. Cubre el pollo con la harina de trigo para después saltear sin que lleguen a cocinarse al 100%. Retira el pollo del sartén y ahí mismo vacía el ajo picado, la cebolla y el jengibre hasta que cambien ligeramente de color. Luego agrega la pasta de tomate y el azúcar, el vinagre de arroz, las gotas de salsa de soya y la fécula de maíz mezclada con agua para darle consistencia a la salsa. Agrega la piña o fresas y, por último, el pollo. Deja que se termine de cocinar y sirve.

TIP: **AJINOMOTO (MSG),** por su abreviación en inglés monosodium glutamate. O, en español, glutamato mono-sódico; es un producto que se usa en la comida china para incrementar el sabor de los alimentos, te invito a que intentes usarlo a ver qué te parece el sabor.

** E (K/cal) - 109	Pt (g) - 13.61	A.GrSt(g) - 0.33
Col(mg) - 32	Az(g) - 3.80	Fb(g) - 0.80

Filete de Res Envuelto en Jamón Serrano o Prosciutto con Puré de Papa al Ajo

Rendimiento: 4 porciones · Tiempo de preparación: 0:45 min.

Te recomiendo este platillo para alguna ocasión especial pues te aseguro que le va a encantar a tus invitados. Además es rico en proteínas y vitaminas del grupo B aportadas por la carne.

Filete
4 piezas medallones de filete de res de 100 gr c/u
3 cucharadas aceite de oliva
1/4 cucharada pimienta verde
1/4 taza tomillo fresco
2 dientes echalote o cebolla picada
3 dientes ajo picado
1/2 cucharadita sal
4 rebanadas jamón serrano o prosciutto
hilo de cáñamo 50 cm.

Salsa
3 cucharadas cebolla o echalote picado
tomillo fresco al gusto
3 piezas champiñones enteros
1 taza concentrado de res
1 taza vino tinto

Puré de Papa
4 piezas papas cocidas
2 tallos apio
3 dientes ajo
2 cucharadas aceite de oliva
1/2 taza crema
1/4 taza caldo de pollo
12 piezas espárragos crudos blanqueados

Para preparar los Medallones de Res:

Mezcla el aceite de oliva con la pimienta verde, hojas de tomillo, echalote y ajos picados y úntalo en los medallones de res, envuelve los costados de los medallones con el jamón serrano, cúbrelos y refrigera mientras preparas la salsa. Suda la cebolla o echalote, tomillo y champiñones para después agregar el concentrado de res y el vino tinto. Deja reducir una cuarta parte y rectifica el sabor si es necesario con sal y pimienta, licúa perfectamente y conserva por separado. Sella los medallones de res por los dos lados y termina la cocción en el horno precalentado a 180º C, hasta llegar al término deseado.

Puré de Papa:

Blanquea las papas, apio y ajo. Licúa con la crema, aceite de oliva y caldo. Calienta y rectifica el sabor si es necesario con sal y pimienta. Sirve los medallones de res sobre los espárragos y acompaña con el puré de papa.

TIP: El prosciutto es un tipo de jamón crudo fino que es curado con una mezcla de sal, azúcar, nitratos, pimienta, nuez moscada y mostaza. Es empacado y guardado durante 10 días y el proceso se vuelve a repetir. Después de la maduración, los jamones son prensados, cocinados al vapor y masajeados con pimienta. Como el ingrediente básico es la carne, contiene los mismos elementos nutritivos pero en cantidades reducidas. Al envolver con jamón serrano o prosciutto la carne de res, durante la cocción en el horno la grasa que contiene el jamón se derrite y proporciona un sabor y textura únicos a tu carne.

** E (K/cal) - 70	Pt (g) - 4.29	A.GrSt(g) - 1.99
Col(mg) - 9	Az(g) - 1.04	Fb(g) - 1.94

MEDALLONES DE RES CUBIERTO DE COSTRA DE FIBRA Y QUESO

Rendimiento: 4 porciones · Tiempo de preparación: 0:35 min.

Como tú sabes, la carne de res es una fuente excelente de proteínas, potasio, cinc, algunas vitaminas del grupo B (como la niacina y la B12), hierro y fósforo. Por otra parte, puede contener altos niveles de ácidos grasos saturados y colesterol, por lo que algunos nutriólogos recomiendan una ingesta máxima de 300 gramos a la semana.

Costra
1/4 taza salvado molido
1/4 taza avena molida
1/2 taza queso azul o queso roquefort
5 cucharadas perejil picado
5 cucharadas cebollín picado
3 dientes ajo
1 cucharada romero picado
2 cucharadas tomillo picado
1 cucharadita pimienta blanca en polvo
Sal y pimienta negra al gusto
560 gramos medallones de res o ternera
(140 gr c/u)
aceite de oliva al gusto

Zanahoria y Chayotes Glaseados
2 cucharadas aceite de oliva
5 cucharadas jengibre picado
3 cucharadas ajo picado
1 taza jugo de naranja
1/4 taza vinagre balsámico
3 cucharadas miel de abeja
2 cucharadas chile serrano picado
12 piezas zanahorias
2 piezas chayotes
sal y pimienta al gusto

Para preparar la costra:
Mete en un procesador todos los ingredientes menos la carne y el aceite. Cubre cada uno de los medallones de res con la mezcla anterior por un lado. Sella los medallones a fuego alto del lado que no tienen la mezcla de queso y termina la cocción en el horno según el término deseado.

Para preparar la zanahoria y chayotes glaseados:
Saltea el jengibre y ajo sin coloración, agrega jugo de naranja, vinagre balsámico y miel, baja el fuego a la mitad y deja reducir. Blanquea las zanahorias cortadas en láminas y los chayotes cortados de forma similar.
Vacía los vegetales en la mezcla de jugo de naranja y vinagre. Rectifica el sabor con sal y pimienta y agrega el chile.

** E (K/cal) - 101	Pt (g) - 7.68	A.GrSt(g) - 1.51
Col(mg) - 14	Az(g) - 4.38	Fb(g) - 2.96

Asado de Res Marinado al Chimichurri Argentino y Mermelada de Mango con Chipotle

Rendimiento: 4 porciones · Tiempo de preparación: 0:25 min.

El chimichurri es la salsa tradicional argentina que se usa principalmente para carnes asadas, estoy seguro que cuando lo combines con la mermelada de mango y chipotle te va gustar aún más.

Chimichurri
1 taza perejil picado
3 dientes ajo
1/4 pieza cebolla blanca
Sal al gusto
1/4 cucharadita pimienta negra
1/2 taza aceite de oliva
1 cucharada jugo de limón
1/4 taza jugo de naranja
2 cucharadas vinagre de vino tinto

Mermelada de Mango y Chipotle
1 pieza cebolla blanca en cuartos
1 cucharadita hojas de tomillo fresco
1 cucharada aceite de oliva
Sal y pimienta blanca al gusto
2 tazas mango picado
2 cucharadas azúcar morena
1 cucharada chile chipotle

Carne
4 piezas filete de res
sal y pimienta negra al gusto

Para preparar la salsa de chimichurri:
Mezcla todos los ingredientes.

Para preparar la mermelada de mango y chipotle:
Envuelve todos los ingredientes en papel aluminio y mételos al horno a 220º C (425º F) por 10 minutos o hasta que la cebolla se suavice. Retira del horno y licúa.

Para preparar la carne:
Marina la carne con la salsa de chimichurri, sella la carne en la sartén a temperatura alta y termina la cocción en horno dependiendo el término que desees y sirve acompañado de la mermelada.

** E (K/cal) - 166	Pt (g) - 7.54	A.GrSt(g) - 1.42
Col(mg) - 13	Az(g) - 0.03	Fb(g) - 0.74

COSTILLITAS BBQ CON 4 CHILES Y ELOTES ROSTIZADOS

Rendimiento: 4 porciones · Tiempo de preparación: 0:35 min.

¡¡¡Simplemente deliciosas!!!

Costillas
20 piezas costillas de cerdo
1 pieza cebolla picada
6 cucharaditas ajo picado
6 cucharaditas chile jalapeño en vinagre picado
4 cucharadas aceite de oliva
1/2 cucharadita orégano en polvo
1/2 cucharadita semillas de cilantro
1/2 cucharadita mostaza en polvo
2 cucharadas adobo de chile chipotle
4 piezas chile guajillo remojado
4 piezas chile pasilla remojado

4 tazas puré de tomate
4 tazas vinagre de manzana
1 1/2 tazas azúcar mascabado
1/2 taza salsa inglesa
1 cucharadita sal

Elote rostizado
4 piezas elote tierno
1 taza yoghurt
1 1/2 taza mayonesa baja en grasa
2 piezas limón
sal y pimienta al gusto

Para preparar las costillas:
Suda en un sartén la cebolla, ajo y chiles jalapeños, hasta que las cebollas estén transparentes, agrega el adobo de chile chipotle y deja en el fuego por 30 segundos.
Agrega el puré de tomate en el sartén y baja el fuego a la mitad, moviendo constantemente por 7 minutos aproximadamente.
Después de 7 minutos agrega el resto de los ingredientes, deja que hierva y reduzca (evapore) por otros 15 minutos. Retira del fuego y licúa. Unta las costillas y hornear a 180° C hasta que estén cocidas.
Barnizar las costillas constantemente mientras se hornean.

Para preparar los elotes:
Pon el elote sobre papel aluminio, rocía con aceite de oliva, sal y pimienta. Revuelve el yoghurt, mayonesa y limón para acompañar el elote.

** E (K/cal) - 162   Pt (g) - 5.67   A.GrSt(g) - 1.08
Col(mg) - 13   Az(g) - 11.89   Fb(g) - 1.71

CALLOS O VIERAS AL JENGIBRE Y CHILE SERRANO SOBRE JÍCAMA Y PIÑAS FLAMEADAS

Rendimiento: 4 porciones · Tiempo de preparación: 0:15 min.

El Pisco es el aguardiente obtenido de la destilación del mosto de uva (jugo de uva).
El nombre Pisco tiene un origen peruano, proviene de un vocablo prehispánico (quechua) que significa "ave" o "pájaro". Utilizado en una gran variedad de bebidas y platillos.

4 cucharadas tallos de cilantro
3 dientes echalote
3 dientes ajo
3 cucharadas jengibre
Chile serrano al gusto
2 cucharadas aceite de oliva
1 pieza jícama pelada y rebanada
16 piezas espárragos
4 rebanadas piña en almíbar
24 piezas callos o vieiras
Licor de pisco o tequila al gusto

Pica los tallos de cilantro, el echalote, el ajo, el jengibre y el chile serrano. Mezcla con el aceite de oliva.

Corta la jícama y la piña en rebanadas. Vacía en un tazón los espárragos, la jícama, los callos y la piña; cubre todos los ingredientes con la mezcla anterior, de cilantro y aceite de oliva, saltea en un sartén o wok hasta que los callos estén opacos y cocidos. Quita el sartén o wok del fuego y al final agrega el licor de pisco, flamea, mientras mantienes moviendo los ingredientes durante este proceso para que no se quemen. Sirve inmediatamente.

** E (K/cal) - 79	Pt (g) - 5.68	A.GrSt(g) - 0.35
Col(mg) - 33	Az(g) - 0.00	Fb(g) - 0.92

Atún Oriental Sellado a la Parrilla Sobre Salsa de Miso y Limón

Rendimiento: 4 porciones · Tiempo de preparación: 0:35 min.

El atún se considera como un pescado con grasas buenas, además constituye una buena fuente de vitamina D y proporciona proteínas, es rico en minerales y vitaminas. El miso es una pasta elaborada con soya, existen tres diferentes colores o tipos de miso, pero cualquiera de los tres queda muy bien en esta receta, aparte que posee un gran contenido de proteínas.

5 cucharadas echalote picado
5 cucharadas jengibre picado
5 cucharadas tallos de cilantro picado
3 cucharadas aceite de oliva
4 piezas medallones de atún
Sal y pimienta verde recién molida al gusto
4 cucharadas pasta de miso
1/4 taza jugo de naranja
1/2 taza fondo o caldo de vegetales
3 cucharadas jugo de limón

Para preparar el marinado:
Mezcla el echalote, el jengibre, el cilantro y el aceite de oliva, divide en dos y usa la mitad para marinar los medallones de atún con esta mezcla. Agrega sal y pimienta verde al gusto al atún.

Para preparar la Salsa de miso y limón:
Saltea la otra mitad de la mezcla de echalote, jengibre y cilantro. Agrega el miso, el jugo de naranja, el fondo o caldo de vegetales y el jugo de limón, baja el fuego a la mitad y deja que reduzca, rectifica el sabor si es necesario con sal y pimienta.

Sella el atún y sirve acompañado de la salsa de miso.

** E (K/cal) - 137   Pt (g) - 12.14   A.GrSt(g) - 1.24
Col(mg) - 18   Az(g) - 0.63   Fb(g) - 0.77

PESCADO EN SALSA DE PIMIENTO

Rendimiento: 4 porciones · Tiempo de preparación: 0:35 min.

1 cucharada aceite de oliva
1 lata chica pimientos rojos
2 cucharadas cebolla picada
1 taza caldo de pollo o vegetales
2 cucharadas queso crema Lala
4 piezas filete de pescado blanco

Saltea el pimiento y cebolla con el aceite de oliva, sin dejar que cambien de color, agrega el caldo de pollo y el queso crema Lala, cuando esté suave el queso crema licúa hasta integrar. Vacía en sartén la salsa de pimientos y cocina el pescado en este mismo sartén.

** E (K/cal) - 77	Pt (g) - 10.31	A.GrSt(g) - 1.04
Col(mg) - 11	Az(g) - 0.16	Fb(g) - 0.18

Pescado Cajún con Ensalada de Jícama y Papas Cambray

Rendimiento: 4 porciones · Tiempo de preparación: 0:35 min.

El sazonador cajún es una mezcla de varias especies, generalmente incluye ajo, pimienta negra, mostaza, chile en polvo, comino, pimentón, tomillo, cebolla, aunque en el mercado existen algunas diferencias, dependiendo de la marca.

Cajún
2 dientes ajo
1/2 pieza cebolla
Chile de árbol seco al gusto
Orégano al gusto
3 piezas pimienta negra
1 cucharadita páprika
1 cucharadita mostaza en polvo
1/2 pieza apio
aceite de oliva al gusto
4 piezas filete de pescado blanco

Ensalada de jícamas y cebolla morada
3 piezas naranja entera
1/4 taza vinagre de manzana
1 cucharadita orégano
1/4 taza aceite de oliva

Sal y pimienta al gusto
1 pieza jícama en bastones
1/2 pieza cebolla morada, julianas
1 pieza apio, julianas
hojas de cilantro al gusto

Papas Cambray
4 piezas anchoas picadas
12 piezas papas cambray
2 piezas huevos cocidos en agua
1 cucharada mostaza
vinagre al gusto
ajonjolí negro al gusto
1 cucharada perejil picado
3 cucharadas aceite de oliva
2 piezas echalote picado
pimienta blanca al gusto

Para preparar el pescado:
Pon en el procesador o licuadora el ajo, cebolla, chile de árbol, pimienta negra, páprika, mostaza en polvo, apio y orégano. Cubre los pescados con la mezcla anterior. Pon un poco de aceite en el sartén y cocina el pescado.

Para preparar la ensalada:
Exprime las naranjas, agrega el vinagre, orégano y aceite de oliva. Mezcla y rectifica el sabor con sal y pimienta. Agrega hojas de cilantro al gusto. Sirve la jícama, el apio y la cebolla con la vinagreta anterior.

Para preparar las papas cambray:
Pica las anchoas. Blanquea las papas en agua con sal. Retira las cáscaras del huevo, parte por la mitad y separa las claras de las yemas. Pica las yemas finamente y mézclalas con las anchoas, mostaza, vinagre, ajonjolí, perejil, aceite de oliva y echalote, rectifica el sazón con pimienta blanca.

TIP: Puedes utilizar pescados blancos como la tilapia, real del pacífico, cazón, blanco de nilo, huachinango, lenguado o robalo.

** E (K/cal) - 82	Pt (g) - 4.93	A.GrSt(g) - 0.71
Col(mg) - 18	Az(g) - 0.57	Fb(g) - 1.04

Pescado Envuelto en Hoja de Plátano Estilo Nizúc

Rendimiento: 4 porciones · Tiempo de preparación: 0:30 min.

Ésta es la adecuación casera de la receta que se prepara en Punta Nizúc, Cancún, Quintana Roo, México, lugar de hermosas playas, diversión y excelente comida

1 barra axiote
1/2 taza vinagre vino blanco
1 taza jugo de naranja
1/4 taza jugo de limón
2 piezas pimienta negra
1 pieza pimienta gorda
1 pieza clavo
2 dientes ajo
1/4 pieza cebolla
1 pieza jitomate
1 cucharada orégano
hoja de plátano
4 filetes pámpano o huachinango

Salsa
1 pieza cebolla morada
1 taza vinagre de manzana
3 cucharadas salsa de soya
pimiento verde o chile habanero al gusto
4 hojas laurel
3 piezas pimienta negra
miel de abeja c/s

Complemento
2 tazas calabaza
2 piezas pimiento rojo
2 piezas pimiento verde
aceite Capullo al gusto
sal y pimienta al gusto

Para preparar el pescado:
Licúa todos los ingredientes menos la hoja de plátano y el pescado. Marina el pescado con la mezcla anterior. Envuelve el pescado con la hoja de plátano. Cocina en el horno ahumando.

Para preparar la salsa:
Corta en juliana la cebolla y el chile. Mézclalos con el resto de los ingredientes.

Para preparar las verduras a la parrilla:
Cortar en láminas gruesas. Úntalos de aceite Capullo, sal y pimienta. Emparríllalos hasta que se cocinen.

** E (K/cal) - 62	Pt (g) - 6.60	A.GrSt(g) - 0.07
Col(mg) - 9	Az(g) - 0.37	Fb(g) - 1.49

CAMARONES EN SALSA DE MOJITO

Rendimiento: 4 porciones · Tiempo de preparación: 0:25 min.

Te recomiendo esta receta para un soleado fin de semana de verano. Todos sabemos que los camarones son un alimento rico en proteínas, vitamina B12 y niacina. Forman parte de muchísimos platillos y son muy nobles ya que adquieren el sabor del alimento que rodean, por tanto el mojito cubano, bebida refrescante y de gran sabor es ideal para marinar este crustáceo.

Mojito
1/2 taza hojas de menta
1/4 taza jugo de limón verde
1/4 taza jugo de naranja
2 cucharadas ralladura de limón verde
4 cucharadas echalote picado
30 ml ron (opcional)
1 cucharada azúcar
24 piezas camarones medianos

Para decorar
4 piezas naranjas
1 cucharadita aceite de oliva
sal y pimienta al gusto
tiras de caña de azúcar al gusto (opcional)

Para preparar el mojito:
Vacía en un procesador todos los ingredientes del mojito, sin licuarlos por completo hasta que obtengas un puré de consistencia gruesa.

Para preparar los camarones:
Espolvorea con sal y pimienta los camarones y cúbrelos con el mojito para marinarlos. Corta las naranjas en rodajas gruesas sin piel y agrégalas en un recipiente con los camarones y el mojito.

Calienta una parrilla o sartén y cocina los camarones y las rodajas de naranja, puedes agregar bastones de caña de azúcar (opcional).

Vacía en un sartén el sobrante del mojito, cocínalo hasta que se reduzca a la mitad, rectifica el sabor con sal y pimienta y usa para salsear ligeramente los camarones.

Sirve los camarones en una copa martinera, bañados con el mojito y acompañados de las rodajas de naranja y las tiras de caña de azúcar.

** E (K/cal) - 228   Pt (g) - 21.1   A.GrSt(g) - 0.05
Col(mg) - 137   Az(g) -3.4   Fb(g) - 2.3

Mejillones a la Cerveza y Azafrán

Rendimiento: 4 porciones · Tiempo de preparación: 0:30 min.

Los mejillones son ricos en proteínas y minerales. Casi no contienen grasa, colesterol o calorías.
El azafrán proviene de unas flores que producen filamentos que se recogen a mano y luego se secan.
Sazona y da color a los platillos. ¡La cerveza le da un sabor sensacional!

48 piezas mejillones
3 cucharadas aceite de oliva extra virgen
1/2 pieza cebolla
3 cucharadas ajo
4 piezas jitomate
1 piezas hojas de laurel
5 gramos azafrán
hojuelas de chile rojo c/s
4 tazas cerveza clara
1/4 taza jugo de limón
1 taza fondo o caldillo de vegetales

Para preparar los mejillones:
Enjuaga los mejillones en agua corriente. Saltea la cebolla, ajo, jitomate y laurel hasta que se suavice el jitomate. Disuelve el azafrán en agua tibia y agrégalo al fuego con el jitomate, agrega también los mejillones y revuelve. Vacía las hojuelas de chile, cerveza, jugo de limón y fondo de vegetales al fuego con los mejillones, deja cocinar hasta que los mejillones se abran.

Puedes colar los líquidos y licuarlos para después rectificar el sabor y servir con los mejillones.

TIP: Si no tienes azafrán te recomiendo lo sustituyas con cúrcuma en polvo, de esta forma le darás un aroma y sabor muy agradable.

```
** E (K/cal) - 79   Pt (g) - 4.38   A.GrSt(g) - 0.60
   Col(mg) - 9   Az(g) - 0.91   Fb(g) - 0.53
```

ATÚN CUBIERTO DE AJONJOLÍ

Rendimiento: 5 porciones · Tiempo de preparación: 0:20 min.

1 pieza lomo de atún (500 grs)
3 cucharadas salsa de soya baja en sodio
3 cucharadas jugo de limón
1 pieza naranja
1 cucharada aceite de oliva

1 yema huevo
4 cucharadas pimienta de cayena
1 1/2 tazas ajonjolí blanco
1/2 taza ajonjolí negro (opcional)

Pon a marinar el atún en un recipiente con la salsa de soya, jugo de limón, jugo de naranja y aceite de oliva, por 20 minutos aproximadamente.

Bate la yema de huevo con 1/2 de taza de agua, vacía en una charola la pimienta, el ajonjolí blanco y el negro, pasa el atún por las yemas batidas y después cubre con la mezcla de ajonjolí y pimienta.

Pon aceite Capullo en un sartén y a temperatura media pon el atún a cocer por todos sus lados retirándolo antes de que cambie de color el ajonjolí claro.

** E (K/cal) - 555	Pt (g) - 42	A.GrSt(g) - 4
Col(mg) - 99	Az(g) - 0.6	Fb(g) - 8

CAMARONES RELLENOS DE ESPINACAS CON TOCINO Y QUESO CREMA

Rendimiento: 4 porciones · Tiempo de preparación: 0:15 min.

4 piezas tocino de pavo picado (50 gr)
1 diente ajo picado
1 taza espinaca en juliana
1/4 taza vino blanco
1/2 barra queso crema Lala
12 piezas camarón gigante U12 limpio

Pon a calentar un sartén y vacíale el tocino picado y el ajo, ya que se haya cocinado (1 minuto) agrégale la espinaca, el queso crema Lala y el vino blanco, baja el fuego a la mitad y deja que se suavice el queso crema.

Corta los camarones en mariposa (haz un corte a todo lo largo del camarón por las parte baja sin llegar al otro extremo), una vez abierto aplánalo y rellénalo con la mezcla de espinacas y tocino, envuelve en papel transparente y mételos a una olla con agua en ebullición por 4 minutos, retíralos del agua desenvuélvelos y sírvelos. Puedes acompañar del aderezo que más te guste.

** E (K/cal) - 172	Pt (g) - 9	A.GrSt(g) - 7
Col(mg) - 75	Az(g) - 0.1	Fb(g) - 0.4

PESCADO A LA VERACRUZANA

Rendimiento: 4 porciones · Tiempo de preparación: 0:30

1 cucharadita aceite Capullo	1/4 taza vino blanco (opcional)
1/4 pieza cebolla blanca en juliana	2 cucharadas alcaparras
1 pieza diente de ajo picado	12 piezas aceitunas verdes o negras
1/2 pieza pimiento verde en juliana	4 piezas chiles güeros
1/2 pieza pimiento rojo en juliana	1/4 cucharadita sal
1 pieza puré de tomate	1/4 cucharadita pimienta blanca
2 piezas hojas de laurel	4 piezas filete de huachinango

Pon aceite Capullo en un sartén y agrega la cebolla y los ajos, mueve constantemente evitando que los ajos cambien de color, agrega los pimientos y continúa moviendo por un par de minutos.

Vacía el puré de tomate y las hojas de laurel dentro del sartén, agrega el vino blanco y baja el fuego a la mitad, deja que el vino se reduzca (evapore) a la mitad.

Pon las alcaparras, aceitunas y los chiles güeros dentro del sartén y rectifica el sabor con sal (si es necesario) y pimienta, deja en el fuego por un minuto más y retíralo.

Pon sobre hojas de papel aluminio o de plátano los filetes de huachinango, báñalos con la salsa, métalos al horno a 190° C por 10 minutos aproximadamente y sirve de inmediato.

```
** E (K/cal) - 166  Pt (g) - 25  A.GrSt(g) - 0.5
   Col(mg) - 30  Az(g) - 0.0  Fb(g) - 0.6
```

ATÚN A LA PARRILLA CON SALSA DE MANGO Y JALAPEÑO

Rendimiento: 4 porciones · Tiempo de preparación: 0:15 min.

2 cucharaditas aceite de oliva	4 medallones filete de atún
2 cucharaditas echalote picado	1 cucharadita aceite Capullo
1/4 cucharadita pimienta verde o negra molida	1/2 taza salsa de mango y chile jalapeño

Vacía en un tazón el aceite de oliva, agrega el echalote, pimienta verde y mézclalos.

Ahora cubre cada uno de los medallones de atún con la mezcla anterior, barniza la parrilla con el aceite y caliéntala, coloca los medallones de atún en la parrilla por 3 minutos de cada lado o hasta llegar al termino deseado.

Retira los medallones de la lumbre y sirve acompañados de la salsa de mango.

Esta receta también se puede hacer al horno o en sartén, pero yo te recomiendo que lo pruebes en parrilla.

```
** E (K/cal) - 234  Pt (g) - 28  A.GrSt(g) - 0.7
   Col(mg) - 44  Az(g) - 0.0  Fb(g) - 0.3
```

SALMÓN A LA PLANCHA EN SALSA DE SOYA

Rendimiento: 4 porciones · Tiempo de preparación: 0:15 min.

4 piezas salmón en lonjas (160 gr)
2 dientes ajo picado
1/2 cucharadita jengibre picado
1 cucharadita aceite de oliva

4 cucharadas salsa de soya baja en sodio
3 cucharadas jugo de limón
1 cucharada pimienta negra

Pon en un refractario los filetes de salmón.

En un tazón vacía el ajo picado, el jengibre, el aceite de oliva, la salsa de soya, jugo de limón y pimienta negra, mezcla perfectamente y agrega esta mezcla al refractario con el salmón. Mete el refractario al horno precalentado a 190° C por aproximadamente 10 minutos o hasta que el pescado esté cocido según el término deseado.

Sirve el salmón con los líquidos que quedaron en el refractario, acompañándolo de una ensalada de vegetales.

** E (K/cal) - 219	Pt (g) - 29	A.GrSt(g) - 0.2
Col(mg) - 37	Az(g) - 0.0	Fb(g) - 0.0

FILETE DE HUACHINANGO CON ALCAPARRADO A LA MOSTAZA

Rendimiento: 4 porciones · Tiempo de preparación: 0:30 min.

2 cucharadas salsa inglesa
1/2 taza jugo de naranja
4 piezas filete de huachinago (120 gr)
1/4 cucharadita sal
1/4 cucharadita pimienta verde (o negra) molida
4 cucharadas alcaparras

2 cucharaditas aceite de oliva
2 cucharadas perejil picado
1 cucharada mostaza
3 cucharadas vinagre balsámico
1/4 taza agua
1 cucharadita aceite Capullo

Vacía en un tazón la salsa inglesa y el jugo de naranja, mete el pescado y deja que los líquidos lo cubran por los dos lados, agrega la sal y pimienta verde y conserva en refrigeración mientras haces el resto de la receta.

Pon en un el vaso de la licuadora las alcaparras, el aceite de oliva, perejil, mostaza, vinagre balsámico y agua, licúa hasta integrar.

Pon aceite Capullo en un sartén y cocina el pescado, una vez cocido pon encima del pescado una cucharada del alcaparrado con mostaza y sirve.

** E (K/cal) - 76	Pt (g) - 7	A.GrSt(g) - 0.3
Col(mg) - 19	Az(g) - 0.0	Fb(g) - 0.7

PIÑA RELLENA DE CAMARONES

Rendimiento: 4 · Tiempo de preparación: 0:30 min.

1 litro agua
2 piezas hojas de laurel
20 piezas camarones medianos pelados y limpios
2 piezas piñas chicas
1 cucharadita aceite Capullo
2 cucharadas echalote picado

1 cucharadita ajo picado
1/2 pieza chile serrano picado sin semillas
2 cucharadas jugo de limón
1 cucharadita cilantro picado
1/4 cucharadita sal
1/8 cucharadita pimienta de cayena opcional

Vacía en una olla a fuego alto el agua y las hojas de laurel, una vez que hierva el agua mete los camarones, baja el fuego a la mitad y deja los camarones dentro por un minuto o hasta que cambien de color y estén firmes.
Lava perfectamente las piñas, córtalas a la mitad con todo y las hojas.
Retira la pulpa de la fruta y córtala en cubo.
Pon el aceite Capullo en un sartén y agrega el echalote, ajo y chile serrano, saltea estos ingredientes y agrega la piña picada. Deja en el fuego por dos minutos moviendo regularmente e incorpora al sartén los camarones, el jugo de limón y el cilantro picado, baja el fuego a la mitad y deja que reduzcan los líquidos un poco, agrega la sal y pimienta de cayena y sirve dentro de las piñas.

** E (K/cal) - 214	Pt (g) - 13	A.GrSt(g) - 0.2
Col(mg) - 74	Az(g) - 0.0	Fb(g) – 4

PESCADO AL VAPOR EN SALSA DE CÍTRICOS

Rendimiento: 4 porciones · Tiempo de preparación: 0:30 min.

2 litros agua
1 taza jugo de naranja
1 pieza cáscara de naranja
2 hojas laurel
4 piezas lonjas de filete de mero o huachinango (160 gr c/u)

Coloca en una vaporera el agua y la mitad del jugo de naranja, la cáscara de naranja y el laurel a fuego alto.
Una vez que llegue a ebullición el agua coloca sobre la base con perforaciones el pescado previamente marinado en la otra mitad de jugo de naranja y (sin que se moje) tapa la olla y deja el pescado por 15 minutos aproximadamente o hasta que se cocine.
Retira los pescados de la olla y báñalos con la salsa de cítricos.

** E (K/cal) - 195	Pt (g) - 33	A.GrSt(g) - 0.3
Col(mg) - 40	Az(g) - 0.0	Fb(g) – 0.0

POLLO RÚSTICO

Rendimiento: 4 Porciones · Tiempo de preparación: 0:25 min.

1 cucharadita aceite Capullo
2 cucharadas cebolla picada
2 dientes ajo picados
1 lata champiñones
1 paquete puré de tomate
2 cucharaditas orégano en polvo

1 cuharaditas romero picado
1 cucharadita aceite Capullo
8 piezas pechugas de pollo deshuesadas,
sin piel y en mitades
1 taza vino blanco (opcional)

Precalienta el horno a 190° C, mientras agregas el aceite Capullo a un sartén deja que se caliente para después agregar la cebolla, ajo y champiñones, conserva estos ingredientes en el sartén hasta que las cebollas estén transparentes, en ese momento agrega el puré de tomate, el orégano y el romero, conserva el sartén un minuto o dos en el fuego, para después vaciar la salsa en un refractario o charola para horno.

Ahora agrega nuevamente aceite Capullo al mismo sartén, espolvorea las pechugas con pimienta y sal y colócalas en el sartén, séllalas por ambos lados. Coloca las pechugas de pollo en el molde para horno con la salsa y mételas a hornear por 10 minutos. Después de estos diez minutos agrega el puré de tomate con vino blanco al pollo y cúbrelo con papel aluminio, dejándolo en el horno por otros 5 minutos o hasta que las pechugas se cocinen.

** E (K/cal) - 430   Pt (g) - 75   A.GrSt(g) - 1
Col(mg) - 186   Az(g) - 0.0   Fb(g) – 0.4

POLLO ESTILO TANDOORI

El nombre de este pollo proviene del nombre que se le da a un horno de barro que se utiliza en la India, que te recomiendo ampliamente.

Rendimiento: 4 Porciones · Tiempo de preparación: 0:25 min.

240 ml yoghurt sin grasa
120 ml jugo de limón
30 gramos jengibre picado
15 gramos cilantro picado
2 dientes ajo picado

1 cucharada comino tostado picado
1 cucharadita sal
1 cucharadita pimienta de cayena en polvo
4 1/2 piezas pechuga de pollo sin piel y sin hueso

Mezcla todos los ingredientes menos el pollo en un tazón.

Pon las pechugas de pollo en un molde o refractario y vacía la mezcla anterior en el tazón procurando que la salsa cubra perfectamente las pechugas por ambos lado, deja marinando las pechugas de pollo por 4 hrs aproximadamente dentro del refrigerador.

Mete el molde o refractario al horno precalentado a 200° C por 15 minutos o hasta que las pechugas se hayan cocido.

** E (K/cal) - 304   Pt (g) - 45   A.GrSt(g) - 0.6
Col(mg) - 104   Az(g) - 0.0   Fb(g) - 0.1

POLLO AL CURRY

Rendimiento: 1 porción · Tiempo de preparación: 0:15 min.

1 cucharadita aceite Capullo
8 piezas cebollas cambray picadas
1 cucharadita ajo
1 pieza manzana roja o verde en cubos
1 1/2 cucharadas curry en polvo
1 taza caldo de pollo

1 taza leche sin grasa
4 piezas pechuga de pollo deshuesada,
sin piel, cortada en mariposa
2 cucharadas jugo de limón

Pon aceite Capullo en un sartén, agrégale la cebolla, el ajo y la manzana, deja el sartén en el fuego medio por dos minutos y después, agrega el curry en polvo disuelto en el caldo de pollo, moviendo repetidamente, agrega la leche, deja en el fuego hasta que tome un textura más pesada.

Pon las pechugas en otro sartén previamente engrasado con aceite Capullo y agrégale a las pechugas, el jugo de limón y déjalas en el fuego aproximadamente 4 minutos de cada lado o hasta que estén cocidas y sírvelas con el curry.

** E (K/cal) - 314	Pt (g) - 44	A.GrSt(g) - 0.6
Col(mg) - 93	Az(g) - 0.0	Fb(g) – 2

ROLLO DE POLLO CON SURIMI DE CANGREJO

Rendimiento: 4 Porciones · Tiempo de preparación: 0:20 min.

1 taza surimi de cangrejo picado
1/2 taza espinacas en juliana
2 cucharadas cebolla picada
2 cucharadas mayonesa light

2 cucharadas jugo de limón
1/4 cucharada salsa de soya baja en sodio
1/4 cucharadita sal
4 piezas pechugas de pollo sin piel, aplanadas

Pon el surimi de cangrejo, las espinacas, cebolla, mayonesa, jugo de limón, salsa de soya y la mitad de la sal en un tazón y mézclalos.
Corta 4 cuadros de papel aluminio de mayor tamaño que el de las pechugas de pollo.
Coloca encima de cada uno de los cuadros de papel aluminio una pechuga aplanada y divide en cuatro porciones el surimi. Espolvorea las pechugas con sal y sirve cada una de las porciones de surimi en uno de los extremos de cada una de las pechugas para después enrollarlas con el papel aluminio, como si envolvieras un caramelo.
Pon a hervir 2 litros de agua en una olla, una vez que hierva mete las pechugas de pollo a la olla por 15 minutos.
Retira del agua las pechugas, corta ambos extremos y una vez más al centro en diagonal, retira el papel aluminio.
Acompaña de salsa de cilantro y limón.

** E (K/cal) - 271	Pt (g) - 47	A.GrSt(g) - 0.5
Col(mg) - 110	Az(g) - 0.1	Fb(g) - 0.4

Nuevo Salpicón de Res

Rendimiento: 4 Porciones · Tiempo de preparación: 0:20 min.

4 cucharadas aceite de oliva	2 tazas carne cocida y deshebrada
2 cucharaditas mostaza	1/4 pieza cebolla morada en plumas
2 cucharadas salsa inglesa	4 piezas zanahoria rallada
1/4 taza vinagre de manzana o balsámico	1/2 piezas chiles serrano en juliana
1/4 cucharadita sal	1 taza lechuga romana
1/4 cucharadita pimienta negra	1/2 taza queso panela Lala rallado

Vacía en un tazón el aceite de oliva, agrega la mostaza y la salsa inglesa. Mezcla con un batidor de globo o tenedor e incorpora poco a poco el vinagre revolviendo constantemente hasta integrar todos los ingredientes. Finaliza rectificando el sabor con sal y pimienta.

Vacía dentro del tazón el resto de los ingredientes revolviendo de manera que la vinagreta se distribuya entre todos los ingredientes mete a refrigerar al menos por diez minutos y sirve frío.

```
** E (K/cal) - 296   Pt (g) - 33   A.GrSt(g) - 4
   Col(mg) - 68   Az(g) - 0.0   Fb(g) - 2
```

Sábanas de Res con Cubierta de Queso Panela al Ajillo

Rendimiento: 4 porciones · Tiempo de preparación: 0:15 min.

1 cucharadita aceite Capullo	1/4 cucharadita sal
1 diente ajo picado	4 piezas sábanas de filete de res (140 g c/u)
1 pieza chile guajillo sin semilla en juliana	1 taza queso panela Lala rallado
1 cucharadita jugo de limón	

Calienta un sartén con aceite Capullo, agrega ajo y chile guajillo, saltéalos por un minuto, agrega el jugo de limón y deja que se reduzca a la mitad, reservándolo en un recipiente.

Espolvorea la carne con sal y agrega nuevamente aceite Capullo en el mismo sartén y cocina las carnes, ya que se hayan cocinado divide en partes iguales la mezcla de ajo con chile guajillo y limón y sírvela en cada una de las carnes, agrega el queso panela Lala también a cada una de las carnes y sírvelas.

```
** E (K/cal) - 235   Pt (g) - 40   A.GrSt(g) - 5
   Col(mg) - 89   Az(g) - 0.0   Fb(g) - 0.0
```

COCHINITA PIBIL

Rendimiento: 4 Porciones · Tiempo de preparación: 0:50 min.

1/4 cucharadita sal
1/4 cucharadita pimienta blanca
1 piezas lomo de cerdo
2 litros agua
2 hojas laurel
1/4 pieza cebolla

1/2 barra axiote
1 diente ajo chico
1 taza jugo de naranja
1/2 taza vinagre manzana
3 cucharadas adobo de chile chipotle

Espolvorea con sal y pimienta el lomo de cerdo y vacíalo en una olla con el agua, laurel y cebolla, a fuego medio y tápala.

Mientras tanto coloca en el vaso de la licuadora el axiote, ajo, jugo de naranja, vinagre y adobo de chile chipotle, licúa perfectamente y conserva por separado.

Una vez que la carne se haya cocido desmenúzala y pon a calentar en un sartén el axiote disuelto en un sartén cuando el axiote llegue a ebullición agrega la carne de cerdo, baja el fuego a la mitad y deja por 5 minutos o hasta que el caldillo se concentre.

Sirve salsa de cebollas moradas y chile habanero.

** E (K/cal) - 518   Pt (g) - 30   A.GrSt(g) - 14
Col(mg) - 172   Az(g) - 0.0   Fb(g) - 0.3

COSTILLAS DE CERDO ADOBADAS CON CHIMICHURRI

Rendimiento: 4 porciones · Tiempo de preparación 0:25 min.

1/2 pieza puré de tomate 100 g
1/2 taza caldo de pollo
3 cucharadas adobo de chile chipotle
1/4 pieza cebolla

4 piezas de 180 gr o
4 piezas costillas de cerdo 45 gr cada una
4 cucharadas salsa chimichurri

Mezcla el puré de tomate, con el caldo de pollo, el adobo de chipotle y cebolla.

Pon en un refractario o recipiente para horno las costillas de cerdo y cúbrelas con la mezcla anterior, procurando que queden completamente bañadas. Déjalas en refrigeración por al menos 2 horas.

Precalienta el horno a 190° C y mete las costillas al horno por 15 a 20 minutos o hasta que estén cocidas, procurando voltearlas al menos tres veces mientras están en el horno.

Sirve acompañadas de chimichurri y papas al horno.

** E (K/cal) - 225   Pt (g) - 8   A.GrSt(g) - 6
Col(mg) - 35   Az(g) - 0.3   Fb(g) - 0.2

Pechuga de Pollo Rellena de Queso de Cabra (o Requesón) y Jitomate

Rendimiento: 4 Porciones · Tiempo de preparación: 0:25 min.

1 cucharadita aceite Capullo
2 dientes ajo picado
4 cucharadas jitomate picado
1 lata 225 gr granos de elote
1 cucharada albahaca picada
2 cucharadas requesón o queso de cabra

4 piezas pechugas de pollo deshuesadas
sin piel aplanadas
1/4 cucharadita sal
1/2 cucharadita pimienta negra
4 hojas papel aluminio

Pon el aceite Capullo en un sartén, agrégale el ajo y mueve constantemente para evitar que se oscurezca, agrega el jitomate, los granos de elote, deja en el fuego por un par de minutos o hasta que el elote tome un color dorado, en este momento agrega la albahaca picada y deja en el fuego por unos segundos más, retira del fuego y agrega el queso de cabra (o requesón), divide en cuatro y conserva por separado. Sazona las pechugas de pollo con sal y pimienta negra por los dos lados. Coloca las pechugas de pollo sobre las hojas de papel aluminio y sirve sobre un extremo de cada una de las pechugas una porción del relleno que acabas de hacer. Dobla los extremos de la pechuga hacia el centro para formar un rectángulo o cuadrado, ahora cubre con el papel aluminio doblando de igual forma. En una olla con agua hirviendo vacía las pechugas de pollo envueltas en papel aluminio y deja dentro del agua 20 minutos o hasta que se cocinen.

La cocción puede ser en horno sólo que barniza con aceite Capullo las pechugas para evitar que se peguen al papel.

** E (K/cal) - 241	Pt (g) - 40	A.GrSt(g) - 0.5
Col(mg) - 98	Az(g) - 3	Fb(g) – 1

Albóndigas de Pavo

Rendimiento: 4 Porciones · Tiempo de preparación: 0:25 min.

1 pieza pechuga de pavo deshuesada, sin piel y molida
4 cucharadas cebolla picada
3 cucharadas cilantro picado
3 piezas claras de huevo

1/4 taza cereal de maíz molido
1/4 cucharadita sal
1/4 cucharadita pimienta negra molida
4 tazas salsa verde al chipotle

Vacía el pavo molido en un tazón y agrégale la cebolla, cilantro, claras de huevo y el cereal molido, para después mezclar estos ingredientes perfectamente. Agrega la sal y pimienta negra y revuelve nuevamente. Divide en 8 porciones la carne (haz 8 pelotitas) conserva en refrigeración. Mientras pon a hervir la salsa, una vez que la salsa hierva baja el fuego a la mitad y mete las albóndigas a la salsa procurando que la salsa las cubra por completo, deja en el fuego hasta que se cuezan, te sugiero acompañarlas de arroz.

** E (K/cal) - 286	Pt (g) - 44	A.GrSt(g) - 0.0
Col(mg) - 74	Az(g) - 0.0	Fb(g) – 5

Fajitas de Pollo

Rendimiento: 4 Porciones · Tiempo de preparación: 0:30 min.

1 cucharadita aceite Capullo
2 piezas pimiento rojo en juliana
2 pieza pimiento verde en juliana
1/2 pieza cebolla morada en juliana
1/2 cucharadita ajo picado
3 piezas chile serrano en juliana
2 piezas pechuga de pollo deshuesada

sin piel aplanada y en tiras
2 cucharadas salsa de soya baja en sodio
2 cucharadas salsa inglesa
2 cucharadas jugo de limón
2 cucharadas cilantro picado
8 tortillas de harina integral

Pon el aceite Capullo en un sartén, agrega los pimientos, la cebolla, ajo, el chile y déjalos en el sartén hasta que la cebolla esté transparente, agrega el pollo, la salsa soya y la salsa inglesa.

Deja el sartén en el fuego (moviendo constantemente) hasta que el pollo se haya cocinado, agrega el jugo de limón, baja el fuego a la mitad y deja que se evapore el líquido (1 min) espolvorea el cilantro y si es necesario rectifica el sabor con sal y pimienta negra.

Sirve con 2 tortillas de harina integral por persona.

** E (K/cal) - 132	Pt (g) - 20	A.GrSt(g) - 0.3
Col(mg) - 46	Az(g) - 0.0	Fb(g) - 1

Pechugas de Pato en Salsa de Ciruela

Rendimiento: 4 Porciones · Tiempo de preparación: 0:30 min.

4 cucharaditas aceite Capullo
4 cucharadas echalote o cebolla picado
4 cucharadas vinagre balsámico o de manzana
1 taza puré de ciruela pasa

1/2 cucharadita pimienta negra
1/2 cucharadita sal
4 piezas pechuga de pato

Pon la mitad del aceite Capullo en un sartén, agrega los echalotes y mueve para evitar que cambien de color, agrega el vinagre balsámico y baja el fuego a la mitad, dejando que se evapore un poco, agrega el puré de ciruela pasa y conserva en el fuego medio por 3 minutos.
Mientras tanto agrega más aceite Capullo en otro sartén, espolvorea con la mitad de la sal y pimienta, las pechugas de pato y ponlas en el sartén a fuego alto sellándolas por los dos lados, hasta que tomen un color dorado por ambos lados. Ya que tomaron color métclas al horno precalentado a 190° C por 6 minutos o hasta que tengan el termino deseado. Te recomiendo servir termino medio 6 minutos.
Rectifica el sabor de la salsa con el resto de sal y pimienta, retírala del fuego y sírvela con el pato.

** E (K/cal) - 293	Pt (g) - 45	A.GrSt(g) - 0.0
Col(mg) - 85	Az(g) - 0.0	Fb(g) - 0.3

Pechugas de Pollo al Axiote

Rendimiento: 4 Porciones · Tiempo de preparación: 0:20 min.

1/2 barra axiote
1 pieza chile de árbol hidratado s/semillas
1 cucharada miel de abeja
1/4 taza vinagre de arroz o blanco
1/4 taza jugo de naranja
1/2 cucharadita pimienta de cayena
1/2 cucharadita pimienta negra
4 piezas pechugas de pollo sin piel mitades

Licúa todos los ingredientes menos las pechugas de pollo.

Marina las pechugas de pollo por 5 hrs. con la pasta de axiote y hornea a 180 °C por 15 minutos aproximadamente.

** E (K/cal) - 212	Pt (g) - 37	A.GrSt(g) - 0.5
Col(mg) - 93	Az(g) - 0.0	Fb(g) - 0.0

PECHUGAS DE POLLO EN MOLE

Rendimiento: 4 Porciones · Tiempo de preparación: 0:30 min.

2 piezas chile ancho sin semillas ni rabo
2 piezas chile pasilla sin semillas ni rabo
1/4 pieza cebolla en cubos
1 diente ajo
1/4 taza ajonjolí
2 piezas jitomate sin semillas
1/2 litro caldo de pollo

2 cucharadas cocoa
1/2 cucharadita sal
1/8 cucharadita canela en polvo
1/4 cucharadita pimienta
1 cucharadita aceite Capullo
2 piezas pechugas de pollo a la mitad

Pon en un sartén los chiles y déjalos en el fuego un minuto por cada lado, agrega la cebolla y el ajo dejando en el fuego hasta que comiencen a cambiar de color, agrega el ajonjolí y mueve constantemente, cubre con una tapa pues el ajonjolí comenzara a brincar (no dejes que se queme), agrega el jitomate y continua moviendo el sartén, cuando se suavicen los jitomates agrega el caldo de pollo y la cocoa al sartén.

Deja en el fuego por dos minutos para después licuar perfectamente hasta obtener una textura tersa, rectifica el sabor con la mitad de la sal y la canela, conserva caliente.

Pon el aceite Capullo en un sartén, espolvorea con el resto de la sal y con la pimienta las pechugas y cocínalas en el sartén, cubre con el mole y sirve acompañado de arroz al vapor.

```
** E (K/cal) - 213   Pt (g) - 24   A.GrSt(g) - 0.8
   Col(mg) - 46   Az(g) - 0.1   Fb(g) – 2
```

POLLO EN SALSA BARBECUE

Rendimiento: 6 Porciones · Tiempo de preparación: 0:10 min.

1 cucharadita aceite Capullo
2 piezas dientes de ajo picado
3 piezas pechuga de pollo deshuesada
sin piel cortada en mitades.
1 taza salsa barbecue

En un sartén agrega aceite Capullo y ya que esté caliente agrega el ajo picado, deja que comience a cambiar de color el ajo y agrega el pollo cambiando de lado para que se cuezan de manera uniforme, cuando se haya cocinado baña las pechugas con la salsa.

```
** E (K/cal) - 138   Pt (g) - 20   A.GrSt(g) - 0.3
   Col(mg) - 46   Az(g) - 0.0   Fb(g) - 0.2
```

FAJITAS DE RES AL AJONJOLÍ

Rendimiento: 4 Porciones · Tiempo de preparación: 0:25 min.

2 cucharadas vinagre de arroz (o blanco)
1 diente ajo picado
1 cucharada jugo de limón
5 gotas salsa picante
1/8 cucharadita jengibre picado
1 cucharada salsa de aoya
2 cucharadas miel de maíz

2 cucharadas ajonjolí blanco
1 cucharadita aceite Capullo
2 tazas fajitas de res (460 gr)
1/2 pieza pimiento amarillo
1/2 pieza pimiento rojo en juliana
10 piezas cebolla cambray
1 lata champiñones fileteados

Vacía en un tazón el vinagre de arroz, ajo, jugo de limón, salsa picante, jengibre, salsa de soya y miel de maíz, mezcla perfectamente todos estos ingredientes y conserva por separado en temperatura fresca.
Ahora, en sartén a fuego medio, pon el ajonjolí sin dejar que se oscurezca. Retira del fuego y conserva por separado.
Pon aceite Capullo en un sartén y agrega la carne, mueve constantemente, mientras agregas los pimientos y cebolla cambray antes de que la carne esté completamente cocida, agrega los champiñones y deja en el fuego un minuto más mientras, continúa moviendo todos los ingredientes.
Agrega la salsa que hiciste al principio, baja el fuego y deja que se evapore la salsa a la mitad, retira del fuego y espolvorea el ajonjolí encima de cada una de las porciones.

```
** E (K/cal) - 223   Pt (g) - 30   A.GrSt(g) - 2
   Col(mg) - 54   Az(g) - 0.1   Fb(g) - 2
```

FILETE DE RES CON SALSA DE CHILE ANCHO

Rendimiento: 4 Porciones · Tiempo de preparación: 0:15 min.

2 cucharaditas aceite Capullo
1 cucharada ajo picado
4 piezas filete de res 140 gr c/u y en medallones

1/4 cucharadita sal
1/4 cucharadita pimienta negra
1 tazas salsa de chile ancho

Barniza una charola o refractario con aceite Capullo, agrega el ajo, la carne y espolvorea la carne con sal y pimienta.
Ahora pon a calentar un sartén y sella cada uno de los medallones de carne por ambos lados procurando dejarlos en fuego hasta que tengan un color ligeramente oscuro.
Retira del sartén los trozos de carne y colócalos nuevamente en el refractario para meter al horno a 190° C por 8 minutos.
Sirve los medallones con la salsa de chile ancho.

```
** E (K/cal) - 207   Pt (g) - 35   A.GrSt(g) - 2
   Col(mg) - 66   Az(g) - 0.0   Fb(g) - 0.9
```

PUNTAS DE RES A LA MEXICANA

Rendimiento: 4 Porciones · Tiempo de preparación: 0:15 min.

1 cucharadita aceite Capullo
1 cucharadita ajo picado
1/2 pieza cebolla en cubos
1 pieza chile serrano en rodajas
1 1/2 taza filete de res en cubos (460 gr)

1 cucharadita adobo de chile chipotle
1 pieza puré de tomate
1 cucharada salsa inglesa
3 cucharadas cilantro

Pon aceite Capullo en un sartén, agrega el ajo, cebolla y chile serrano, mueve regularmente para evitar que cambien de color.

Agrega la carne y el adobo de chile chipotle, deja en el fuego por tres minutos aproximadamente.

Vacía el puré de tomate y salsa inglesa dentro del sartén, deja en el fuego por un minuto o hasta que hierva y agrega el cilantro picado.

** E (K/cal) - 158	Pt (g) - 29	A.GrSt(g) - 1
Col(mg) - 54	Az(g) - 0.0	Fb(g) - 0.5

MIXIOTES DE RES

Rendimiento: 4 Porciones · Tiempo de preparación: 1:15 min.

1/4 taza vinagre blanco
2 piezas chiles anchos sin semilla y asados
1 diente ajo
1/2 taza agua
1/4 cucharadita sal

4 hojas mixiote o plátano
(lavadas) o papel aluminio
2 tazas carne de cerdo o carnero en cubos
2 hojas laurel

Vacía en un vaso de licuadora el vinagre, los chiles anchos, ajo y agua, licúalos.
Rectifica el sabor con sal y conserva por separado.
Extiende las hojas y divide en cuatro porciones la carne poniendo cada una de las porciones sobre cada una de las hojas, ponle una hoja de laurel a cada porción y agrega la salsa también a cada una de las porciones.
Cierra las hojas tomando las puntas y amarra con un hilo.
Ponle una rejilla a una olla con agua en ebullición, mete los mixiotes y deja que se cocinen a vapor por una hora aproximadamente.

** E (K/cal) - 350	Pt (g) - 21	A.GrSt(g) - 10
Col(mg) - 118	Az(g) - 0.0	Fb(g) - 0.0

POLLO RELLENO DE MANZANAS, PIÑA Y QUESO

Rendimiento: 4 Porciones · Tiempo de preparación: 0:50 min.

1 cucharada de mantequilla Lala
1 taza de manzana roja en cubos chicos
1 taza de piña en almíbar cortada en cubos chicos
4 piezas de pechugas de pollo aplanadas, partidas en dos y sin hueso
sal y pimienta
1 paquete de queso manchego Lala en rebanadas
1 cucharada de aceite
1 cucharadita de mantequilla Lala

Pon la mantequilla Lala en un sartén caliente, saltea la manzana y la piña, extiende las pechugas y dales sabor con sal y pimienta, coloca 2 rebanadas de queso manchego Lala en cada pechuga y unas cucharadas de la fruta ya cocinada, enróllalas evitando que se salga el relleno. Te recomiendo que las cierres formando un sobre o con ayuda de palillos, en un sartén vacía el aceite y sella las pechugas por los dos lados hasta que doren un poco, esto significa que sólo debes cocinar la parte externa del pollo lo cual evitara que la carne pierda sus jugos durante la cocción. Engrasa un molde para horno con mantequilla Lala y acomoda las pechugas ya rellenas en el molde y mételas al horno a 180° C por aproximadamente 15 minutos o hasta que estén perfectamente cocinadas.

```
** E (K/cal) - 880   Pt (g) - 66.5   A.GrSt(g) - 26.2
   Col(mg) - 245   Az(g) - 8.5   Fb(g) – 1.3
```

CERDO AGRIDULCE Y PICANTE

Rendimiento: 4 Porciones · Tiempo de preparación: 0:25 min.

1 cucharadita aceite Capullo
2 tazas carne de cerdo sin grasa en cubos (480 gr)
1 1/2 taza jugo de piña natural
1/4 cucharadita jengibre picado
1 pieza chile de árbol seco picado sin semillas
1 cucharada vinagre de arroz
1 cucharada salsa de soya baja en sodio
3 cucharaditas fécula de maíz
1 pieza pimiento verde
4 rebanadas piñas en almíbar cortadas en cubos

Pon aceite Capullo en un sartén y agrega la carne de cerdo sellándola por los dos lados, aproximadamente un minuto por cada lado.

Mientras tanto vacía, en un recipiente o tazón, el jugo de piña, agrégale el jengibre, el chile de árbol, el vinagre de arroz, la salsa de soya y mézclalos todos.

Retira la carne de cerdo del sartén y vacía en ese mismo sartén la mezcla de jugo de piña, cuando comience a hervir agrega la fécula de maíz y mueve constantemente hasta que se integre (1 minuto).

Ahora vacía en un refractario la carne de cerdo, el jugo de piña, los pimientos, las piñas.

Métalo al horno a 190° C por 8 minutos aproximadamente y sirve acompañado de arroz al vapor.

** E (K/cal) - 466	Pt (g) - 21	A.GrSt(g) - 10
Col(mg) - 118	Az(g) - 0.0	Fb(g) - 0.5

POSTRE HELADO DE FRUTAS Y YOGHURT

Rendimiento: 4 Porciones · Tiempo de preparación: 0:35 min.

Este postre complementa una comida saludable, ya que es bajo en grasa pero energético y rico en vitaminas aportadas por las frutas y la nuez utilizadas.

3/4 taza uvas sin semillas	1/2 taza yoghurt natural
1 pieza manzana roja	1/2 taza queso cottage Lala
1 pieza manzana verde	1 cucharadita miel de abeja
1/3 taza fresas	3/4 taza nuez tostada

Para preparar el Postre helado:
Corta las uvas por la mitad y las manzanas y fresas en láminas.
Forra un molde de panqué rectangular con papel aluminio, en el fondo de éste acomoda las láminas de manzana, fresas y las uvas.
Por separado tuesta las nueces en un sartén, pícalas y deja enfriar.
Licúa el yogurt, queso cottage Lala y miel de abeja. Agrega a ésta la nuez revuelve y vacía en el molde.
Congela durante tres horas aproximadamente o hasta que esté firme.
Para desmoldar voltea el molde sobre un platón, cuando el postre caiga al platón retira el papel aluminio y disfruta de este postre.

> ** E (K/cal) - 108   Pt (g) - 3.03   A.GrSt(g) - 0.89
> Col(mg) - 3   Az(g) - 4.55   Fb(g) - 2.29

POSTRE HELADO DE CAFÉ

Rendimiento: 4 Porciones · Tiempo de preparación: 1:15 min.

2/3 taza cereales de trigo o salvado	2 1/2 cucharadas azúcar
1/3 taza chocolate semi amargo rallado	1 clara huevo
1/3 taza chocolate blanco rallado	3 cucharadas café soluble
2 1/2 tazas crema para batir	Licor de café al gusto (opcional)

Muele ligeramente el cereal y conserva por separado. En un tazón mezcla la crema con la mitad del azúcar y bate hasta montar. Ahora diluye en un cuarto de taza con agua el café soluble y mezcla de manera envolvente la crema con el café. Monta las claras de huevo con el resto del azúcar.
Cubre un molde para panque con papel aluminio espolvorea a cubrir la base del molde con el chocolate oscuro rallado de manera uniforme y vacía la mitad de la crema con café sobre el chocolate rallado.
Cubre esta mezcla con el cereal molido de manera uniforme, ahora vacía la otra mitad de la crema con café sobre el cereal y cubre con el chocolate blanco rallado de manera uniforme.
Por último cubre con papel aluminio y mete al congelador hasta que esté firme.

> ** E (K/cal) - 486   Pt (g) - 8.8   A.GrSt(g) - 23.9
> Col(mg) - 87   Az(g) - 32.4   Fb(g) - 4.1

Sopa de Coco y Plátanos

Rendimiento: 4 Porciones · Tiempo de preparación: 0:25 min.

Una mezcla peculiar de sabores, el coco proporciona fibra y el plátano es una fuente excelente de vitamina B6 y potasio.

1/2 cucharada mantequilla Lala
2 cucharadas azúcar
1/2 cucharadita canela
2 piezas plátano tabasco
1 taza agua
1 taza coco rallado
Tela manta de cielo
1 tallo te limón
2 cucharadas jarabe de maíz
sal al gusto

Para preparar la sopa de coco y plátanos:
Derrite la mantequilla Lala y agrega el azúcar dejando que cambie ligeramente de color. Luego agrega la canela y deja a fuego bajo hasta que se integre.
Barniza los plátanos y métclos al horno. Corta los plátanos en rebanadas circulares no muy delgadas.

Pon a hervir el agua y agrega el coco, te limón y jarabe de maíz, retira con un colador el coco y ponlo en la tela, comprímelo y saca los líquidos, repite dos veces la operación y conserva los líquidos (leche y crema de coco) enfría.
Sirve los plátanos rebanados con la leche de coco fría.

```
** E (K/cal) - 118   Pt (g) - 0.90   LT(g) - 5.04   A.GrSt(g) - 4.14
A.GrMi(g) - 0.37   A.GrPi(g) - 0.07   Col(mg) - 2   HC(g) - 18.96
              Az(g) - 8.40   Fb(g) - 2.03   Vit.C(g) - 5.69
```

PARFAIT DE FRUTAS SILVESTRES

Rendimiento: 4 Porciones
Tiempo de preparación: 20 min.

Parfait es una palabra en francés que quiere decir perfecto y creo que así es como vas a quedar con quien decidas compartir este postre pues tiene un sabor muy agradable es facilísimo de hacer y las frutas silvestres son ricas en vitamina C, E y fibra soluble. El yoghurt bajo en grasa mantiene su contenido de calcio y el queso cottage es fuente de proteínas y proporciona una textura muy perfecta.

1 taza agua
2 cucharadas azúcar
1 raja canela (chica)
1/2 taza fresas
1/4 taza zarzamoras
1/2 taza blueberry
1/4 taza frambuesas
1/2 taza granola
5 bolas helado de yoghurt
1/2 ta za de queso cottage Lala licuado

Decoración
1 ramillete hojas de menta
1 cucharadas canela en polvo

Para preparar el Parfait de frutas silvestres:
Pon en una olla el agua, azúcar y canela, agrega las frutas prende el fuego bajo, retira las frutas cuando estén ligeramente suaves y conserva por separado, deja los líquidos a fuego bajo hasta que la textura sea ligeramente pesada. Tuesta ligeramente la granola.
Sirve dentro de copas la mezcla de frutas, agrega una bola de helado encima sirve granola, una porción de queso cottage y comienza de nuevo con las frutas y por último agrega el caldillo en el que cocinaste las frutas. Puedes decorar con hojas de menta y canela en polvo.

** E (K/cal) - 110	Pt (g) - 2.28	A.GrSt(g) - 1.17
Col(mg) - 2	Az(g) - 3.08	Fb(g) - 2.81

Merengues con Helado de Yoghurt

Rendimiento: 4 Porciones · Tiempo de preparación: 0:30 min.

Los merengues te proporcionan proteínas que combinadas con el helado de yoghurt
complementan un maravilloso postre.

Merengues de almendras
3 claras huevo
2 1/2 cucharadas azúcar
2 cucharadas almendras fileteadas

Helado de yoghurt de durazno
1 taza yoghurt natural
1/2 taza pulpa de durazno
2 cucharadas miel de abeja

Jarabe de Vinagre
1/2 taza vinagre balsámico
1 pieza canela (raja)
3 cucharadas azúcar

Para decorar
1/2 taza fresas frescas
1 cucharada canela
2 cucharadas azúcar glas

Para preparar los Merengues:
Bate las claras de huevo con el azúcar hasta punto de turrón. Mete las claras en una manga y sirve las claras en una charola con tapete de silicón, espolvorea con las láminas de almendras y mete al horno precalentado a 160° C. Hornea hasta que tengan un color ligeramente dorado.

Para preparar el Helado:
Bate el yoghurt con la pulpa de durazno y miel de abeja. Mete al congelador y en cuanto esté ligeramente firme, bátelo nuevamente, para después volver a congelar.

Para preparar el Jarabe:
Pon a fuego lento el vinagre con canela y azúcar hasta que el vinagre tome una textura pesada.

Presentación:
En el plato de presentación coloca el merengue. Rocíale con una brocha o con una cuchara el jarabe. Sirve una bola de helado y decora con tu fruta favorita cortadas en láminas y espolvorea con canela.

** E (K/cal) - 99	Pt (g) - 2.43	A.GrSt(g) - 0.53
Col(mg) - 3	Az(g) - 15.84	Fb(g) - 1.78

CHEESECAKE DE YOGHURT

Rendimiento: 4 Porciones · Tiempo de preparación: 1:25 min.

Si deseas un postre fresco y fácil de preparar esta es una muy buena opción.
Un postre altamente energético con vitaminas y calcio.

2 cucharadas mantequilla Lala (derretida)
1/3 taza granola procesada, casi en polvo
1 taza yoghurt bajo en grasa
1/4 taza queso cottage Lala
3 cucharadas queso crema Lala
1 cucharada vainilla
2 claras huevo
6 cucharadas azúcar
2 cucharadas grenetina en polvo (20 gr)
frutas para decorar

Para preparar el Cheesecake de yoghurt:
Forra con papel aluminio 4 moldes circulares.

Mezcla la granola en polvo con la mantequilla Lala y cubre las bases de los moldes por dentro con la granola.
Licúa el yoghurt con el queso cottage Lala, queso crema Lala y vainilla hasta integrar.

Mientras tanto mezcla las claras de huevo con el azúcar, bate hasta formar picos suaves.

Disuelve la grenetina en agua tibia y mezcla con el yoghurt.

Ahora mezcla de manera envolvente el yoghurt con el queso y las claras de huevo batidas.

Vacía esta mezcla en los moldes circulares y mete al refrigerador por un par de horas.

```
** E (K/cal) - 233   Pt (g) - 6.81   A.GrSt(g) - 3.44
   Col(mg) - 16   Az(g) - 22.49   Fb(g) - 0.85
```

ROLLOS PRIMAVERA DE PLÁTANO CON CHOCOLATE BLANCO

Rendimiento: 4 Porciones · Tiempo de preparación: 0:25 min.

Este postre no te lo puedes perder, cada vez que lo servimos
en mi cafetería la gente queda completamente feliz, ¡¡¡pruébalo!!!

Rollos primavera
1 pieza plátano tabasco entero
5 piezas de láminas de wonton grandes o tortillas de harina
1/2 taza queso crema Lala
1/2 taza nutela
2 yemas huevo
1 taza aceite
1/4 taza salsa de mango
1/4 taza salsa de fresa

Salsas de frutas
Salsa de mango y jengibre
6 cucharadas mantequilla Lala

1/2 taza jengibre fresco
3 piezas canela (raja)
6 piezas chile de árbol
1/2 taza mango licuado
2 cucharaditas jarabe de miel de maíz

Salsa de fresas y anís estrella
1/4 taza mantequilla Lala
1 taza ralladura de naranja
1/2 cucharadita cardamomo molido
4 piezas anís estrella
1 1/4 taza fresas licuadas
3 cucharadas jarabe de miel de maíz

Para preparar los Rollos primavera:
Corta el plátano en rodajas circulares y divide en cinco porciones. Extiende las láminas de wonton o las tortillas de harina. Mezcla el queso crema Lala y la nutela hasta integrar, coloca la mezcla en una manga. Sirve una porción de plátano y una porción de la mezcla de queso crema y nutela en cada lámina de wonton o tortilla. Barniza los bordes de las láminas de wonton o tortillas de harina con la yema de huevo y enrolla como si hicieras un burrito. Precalienta tu horno Whirlpool a 160° C y coloca los rollos sobre una rejilla puesta sobre una charola para hornear.

Para preparar la salsa de mango y jengibre con olor de chile de árbol:
Saltea en la mantequilla Lala el jengibre sin coloración, agrega el chile sin semillas y la canela, deja en el fuego por unos segundos y agrega la pulpa de mango. Retira los chiles y la canela, rectifica el sabor con la miel de maíz.

Para preparar la Salsa de fresas y anís estrella:
Saltea en la mantequilla la ralladura de naranja, agrega el cardamomo, anís estrella y fresas licuadas, deja en el fuego hasta reducir, retira el cardamomo y anís estrella. Rectifica el sabor con la miel de maíz.

TIP: La pasta wonton son hojas finas de pasta elaboradas con trigo, agua, huevo y sal. Esta pasta es la versión oriental de los ravioli italianos. Se puede preparar con rellenos salados o dulces. El límite es tu imaginación. Por ejemplo si los rellenas de plátanos, es perfecto porque son una fuente energética, ricos en potasio, vitamina B6 y ácido fólico. Y que mejor acompañamiento que la Nutela una pasta de avellanas muy energética, fuente de magnesio y cobre.

** E (K/cal) - 559	Pt (g) - 2.46	A.GrSt(g) - 7.48
Col(mg) - 38	Az(g) - 0.45	Fb(g) - 2.33

El Más Fácil y Delicioso Postre de Plátano

Rendimiento: 4 Porciones · Tiempo de preparación: 0:20 min.

3 paquetes pan de caja
1 taza mantequilla Lala
1/4 tazas azúcar mascabado
3 cucharadas esencia de vainilla
2 piezas huevos
2 tazas crema para batir
3 cucharadas Baileys o crema irlandesa
3 piezas plátanos tabasco
2 cucharadas almendras rebanadas
1 taza leche baja en grasa

Aplana las rebanadas de pan y retírales las orillas, barniza cada pieza con mantequilla Lala derretida y corta el pan en triángulos, cubre moldes para panque con capacillos de papel encerado y mete los triángulos de pan a los capacillos cubriendo el fondo y dejando que las puntas de los triángulos rebasen la altura de los capacillos, mete al horno a 160° C hasta que el pan esté ligeramente tostado y firme.

Mezcla en un tazón azúcar, vainilla, huevos, crema Baileys y la leche. Pon esta mezcla a baño maría hasta que la textura sea más pesada.

Coloca dentro de los capacillos con pan, porciones de plátano previamente rebanado y agrega la mezcla de crema irlandesa, las almendras y sirve inmediatamente, puedes espolvorear con un poco de canela en polvo.

** E (K/cal) - 233	Pt (g) - 3.01	A.GrSt(g) - 10.55
Col(mg) - 70	Az(g) - 1.50	Fb(g) - 0.66

Pie de Limón y Queso

Rendimiento: 4 Porciones · Tiempo de preparación: 0:25 min.

Base de galleta:
1 cucharada de mantequilla derretida Lala
1 1/2 taza de galleta molida
1/2 taza de mantequilla Lala derretida
4 cucharadas de azúcar
4 yemas
1 taza de azúcar
1/2 taza de queso crema Lala
1/4 taza de leche condensada
1/4 taza de leche Lala descremada
2 cucharadas de jugo de limón
1/2 cucharada de ralladura de limón
2 cucharadas de fécula de maíz
3 limones en rodajas finas

Engrasa con mantequilla Lala un molde para horno, mezcla en un tazón la galleta molida con la 1/2 taza de mantequilla derretida Lala y el azúcar, cubre el fondo del molde recién engrasado con la mezcla y mete a refrigerar hasta que la base esté firme.

Coloca en tu batidora las yemas y el azúcar, bate hasta integrar. Agrega el queso crema y bate hasta lograr una textura esponjosa, agrega la leche condensada y la leche Lala descremada, el jugo, la ralladura de limón y la fécula de maíz mientras continúas batiendo, coloca esta mezcla en baño maría y mueve hasta que al meter una cuchara y pasar el dedo por en medio la mezcla se separe y no se vuelva a juntar. Retira del fuego, vacía sobre la base de galleta y refrigera hasta que esté firme, decora con los limones.

** E (K/cal) - 778   Pt (g) - 11   A.GrSt(g) - 18
Col(mg) - 318   Az(g) - 81   Fb(g) – 1

Postre Semihelado de Café y Crema

Rendimiento: 4 Porciones · Tiempo de preparación: 0:20 min.

3 cucharadas de café instantáneo
1/4 de taza de agua
3/4 de taza de azúcar
3 tazas de crema Lala
5 cucharadas de queso crema
4 cucharadas de cajeta dulce de leche
1/2 taza de granos de café para adornar

Disuelve el café en agua, licúa el resto de los ingredientes, sírvelos en una copa y refrigera hasta que esté firme. Decora con la cajeta y los granos de café.

| ** E (K/cal) - 299 | Pt (g) - 2.3 | A.GrSt(g) - 10.5 |
| Col(mg) - 62 | Az(g) - 32 | Fb(g) – 0.1 |

Pie de Queso Cheesecake de Yoghurt

Rendimiento: 4 Porciones · Tiempo de preparación: 20 min.

1/3 de taza de granola licuada casi en polvo
2 cucharadas de mantequilla Lala (fundida-derretida)
1 taza de yoghurt bajo en grasa Lala
1/2 taza de queso crema Lala
1 cucharada de extracto de vainilla
2 piezas de clara de huevo
1/2 taza de azúcar
2 cucharadas de grenetina en polvo

Forra con papel aluminio 4 moldes circulares.
Mezcla la granola en polvo con la mantequilla Lala, hasta formar una especie de pastita y cubre las bases de los moldes por dentro con la granola.
Utiliza tu licuadora para integrar el yoghurt con el queso crema Lala y la vainilla y coloca la mezcla en un tazón.
Mientras tanto mezcla las claras de huevo con el azúcar, bate hasta formar picos suaves.
Disuelve la grenetina en agua tibia y coloca a baño maría para que se disuelva, deja enfriar un poco y mezcla con el yoghurt en forma envolvente. Ahora incorpora de igual manera las claras de huevo batidas.
Vacía esta preparación en los moldes circulares y métela a tu refrigerador por un par de horas hasta que esté firme.

** E (K/cal) - 307   Pt (g) - 8.3   A.GrSt(g) - 4.8
Col(mg) - 25.6   Az(g) - 34   Fb(g) – 2.3

ARROZ CON LECHE

Rendimiento: 20 Porciones · Tiempo de preparación: 0:30 min.

355 gr arroz
2 1/2 litros agua
300 gr uvas pasas blancas
155 gr azúcar
1 cucharada jugo de limón
1/4 cucharadita canela en polvo
1/4 cucharadita sal
300 gr queso cottagge Lala licuado
85 gr yoghurt sin grasa
90 ml leche evaporada
1 cucharadita vainilla

En una olla, pon el arroz, agua, pasas, azúcar, limón, canela y sal. Tapa la olla y deja a fuego bajo hasta que el arroz esté suave. Aproximadamente 20 minutos.
Mezcla el queso cottage Lala, el yogurt, la leche y la vainilla, en un tazón.
Cuela el arroz y déjalo enfriar, mezcla con la leche y mete al refrigerador.

** E (K/cal) - 171   Pt (g) - 4   A.GrSt(g) - 0.2
Col(mg) - 3   Az(g) - 0.0   Fb(g) - 3

DORADITAS DE MIEL

Rendimiento: 10 Piezas · Tiempo de preparación: 0:20 min.

60 gr miel de abeja
30 gr mantequilla Lala
30 gr azúcar glass
1 pieza clara de huevo
40 gr harina

Bate la miel, la mantequilla Lala y el azúcar hasta suavizar, agrega la clara de huevo e incorpora la harina, extiende la masa sobre un silicón y mete al horno por 10 a 12 min a 190° C. Corta mientras está suave.
Tapete o silicón: lo puedes encontrar en tiendas de cocina, la función de este utensilio es evitar que la masa se pegue en la charola.

** E (K/cal) - 57   Pt (g) - 0.6   A.GrSt(g) - 1
Col(mg) - 5   Az(g) - 0.0   Fb(g) - 0.0

Muffins de Frutas Secas y Salvado

Rendimiento: 12 Piezas · Tiempo de preparación: 0:35 min.

155 gr frutas secas	140 gr plátano en puré
115 gr salvado	2 cucharaditas ralladura de naranja
85 gr avena	60 ml jugo de naranja
70 gr harina	2 cucharaditas aceite de oliva
40 gr azúcar mascabado	2 piezas claras de huevo
20 gr polvo para hornear	240 ml Leche descremada
1 cucharadita canela	

Pon en un procesador de alimentos o licuadora las frutas secas, el salvado, avena, harina, polvo para hornear, canela, plátano y ralladura de naranja. Licúalos hasta integrar y vacía esta mezcla en un tazón, mezcla el resto de los ingredientes y agrégalos a la mezcla inicial.

Divide la masa en 12 porciones y sírvela en una charola con papel encerado, mete al horno a 200° C por 20 minutos o hasta que tomen un tono dorado.

```
** E (K/cal) - 217   Pt (g) - 11   A.GrSt(g) - 0.0
     Col(mg) - 0.0   Az(g) - 0.0   Fb(g) - 2
```

Brownies

Rendimiento: 20 Porciones · Tiempo de preparación: 0:55 min.

225 gr harina de trigo	2 piezas huevos
85 gr cocoa	1 cucharadita vainilla extracto
1/2 cucharadita polvo para hornear	150 ml agua
1/2 cucharadita sal	4 piezas claras huevo
60 gr mantequilla Lala	1/2 cucharadita aceite vegetal
450 gr azúcar	10 piezas nueces peladas

Vacía en un tazón la harina, cocoa, polvo para hornear y sal, conserva este tazón por separado. Ahora en un sartén a fuego bajo derrite la mantequilla Lala sin dejar que cambie de color, retira del fuego el sartén y vacía la mantequilla en un tazón, agrégale el azúcar y revuelve hasta que se disuelva el azúcar, agrega los huevos enteros, vainilla y agua. Mezcla en batidora o batidor de globo por un minuto.

Pon las claras de huevo en un tazón o batidora, y bátelas hasta que las claras tengan una textura pesada como la de pasta para rasurar, en ese momento incorpóralas a la mezcla anterior, poco a poco y de manera envolvente esto es de abajo hacia arriba.

Barniza una charola para hornear o molde refractario con el aceite vegetal, y vacía en el molde la masa que acabas de hacer. Hornea a 175° C por 45 minutos, o hasta que al insertar un palillo éste salga limpio.

Deja enfriar y corta para servir, decora cada pza. con 1/2 nuez ligeramente tostada.

```
** E (K/cal) - 183   Pt (g) - 0   A.GrSt(g) - 2
     Col(mg) - 34   Az(g) - 4   Fb(g) - 0.1
```

CREPAS DE CHOCOLATE RELLENAS DE FRUTAS Y QUESO

Rendimiento: 4 Porciones · Tiempo de preparación: 0:25 min.

Pasta para crepas de chocolate
150 ml leche
2 piezas huevo
50 gr harina
30 gr cocoa
15 gr azúcar
1 cucharada mantequilla Lala derretida
1/4 cucharadita sal
1 cucharadita aceite Capullo

Relleno
6 cucharadas queso cottagge Lala
3 cucharadas miel maple
1/4 cucharadita jugo de limón
1/4 taza yoghurt
1/2 taza zarzamoras

Mezcla el primer grupo de ingredientes en una batidora, hasta que se integren, deja descansar la mezcla por 15 min. Pon aceite Capullo en un sartén y vacía un par de cucharadas de la pasta para crepas deja en el sartén hasta que las orillas se sequen, en ese momento dale vuelta a la crepa para que se cueza del otro lado.
Una vez cocida la puedes congelar hasta por tres meses.

El relleno: licúa todos los ingredientes menos las zarzamoras, dobla las crepas como si fueran conos y rellénalas con la mezcla de queso y las zarzamoras.

**E (K/cal) - 351 Pt (g) - 22 A.GrSt(g) - 2
Col(mg) - 144 Az(g) - 0.0 Fb(g) – 1

Mousse de Chocolate con Yoghurt

Rendimiento: 4 Porciones · Tiempo de preparación: 0:10 min.

450 gr yoghurt sin grasa
30 gr chocolate oscuro picado
20 gr cocoa sin azúcar
200 gr claras de huevo
50 gr azúcar

Retírale el suero (agua de color amarillenta que se forma en la parte de arriba) al yoghurt, para después reservarlo a temperatura ambiente, ahora prepara un baño maría para derretir el chocolate, una vez derretido combínalo con el yoghurt hasta integrar, recuerda el yoghurt debe estar a temperatura ambiente.

Por otro lado hay que cernir la cocoa dos veces, para después agregarla de manera envolvente en el tazón que tiene el yoghurt, procura poner un tazón con agua caliente bajo de éste mientras haces la mezcla esto para evitar que el chocolate se endurezca.

Mientras tanto, bate las claras de huevo con el azúcar hasta formar picos.

En este momento mezcla las claras con el resto de los ingredientes siempre encima del otro tazón con agua caliente y de manera envolvente hasta integrar perfectamente, para después darle la forma que tu quieras, yo te recomiendo hacer unos aros con pvc, engrasarlos y espolvorearlos con azúcar glass.

Mete a refrigerar por unas 4 horas, puedes tenerlos en refrigeración hasta por 4 días.

** E (K/cal) - 201	Pt (g) - 12	A.GrSt(g) - 1
Col(mg) - 0.0	Az(g) - 50	Fb(g) – 1

Sorbete de Pera

Rendimiento: 12 Porciones · Tiempo de preparación: 0:45 min.

1 kg peras
540 ml agua
225 gr azúcar
180 ml licor de pera
1 vaina vainilla

Pon todos los ingredientes a fuego bajo hasta que las peras se suavicen.

Retira la vainilla y licúa hasta hacerlo puré, cuela y enfría, bátelo ligeramente y mete al congelador por 2 hrs. Vuelve a batir y congela nuevamente.

** E (K/cal) - 168	Pt (g) - 0.5	A.GrSt(g) - 0.0
Col(mg) - 0.0	Az(g) - 50	Fb(g) – 2

Napoleón de Frutas

Rendimiento: 4 Porciones · Tiempo de preparación: 0:10 min.

285 gr queso cottagge Lala
2 cucharadas miel de abeja
1/2 cucharadita vainilla
12 piezas doraditas de miel
500 gr frutas silvestres

Licúa el queso cottage Lala con miel de abeja y vainilla, cubre dos de las tres doraditas con esta mezcla, para después poner encima las frutas.

```
** E (K/cal) - 190   Pt (g) - 9   A.GrSt(g) - 0.4
   Col(mg) - 11   Az(g) - 0.0   Fb(g) – 3
```

Strudel de Manzanas

Rendimiento: 12 Porciones · Tiempo de preparación: 1:20 min.

2 kg manzana granny smith pelada y en cubos
1 cucharadita aceite Capullo
115 gr azúcar morena
85 gr uvas pasas pasadas por agua tibia
4 cucharaditas canela en polvo
1/2 cucharadita nuez moscada rallada
6 hojas pasta phyllo

Extiende las manzanas en una charola para hornear y barnízalas con aceite Capullo para evitar que se peguen.
Mete las manzanas al horno precalentado a 175° C hasta que se suavicen, 45 minutos aproximadamente, después retíralas del horno y déjalas enfriar.
Mezcla las manzanas con el azúcar, las pasas, canela y nuez en un tazón.
Ahora, sobre una charolas coloca tres hojas de pasta phyllo una encima de otra, y comienza por barnizar la hoja de arriba con el aceite Capullo, ahora pon las manzanas como si hicieras un taco en un extremo y a lo largo de la pasta phyllo, enrolla la pasta phyllo y barnízala por fuera con aceite Capullo.
(En este momento puedes refrigerar el strudel antes de hornear o lo puedes congelar hasta por un mes antes de tener que hornearlo).
Hornea a 205° C o hasta que tome un tono dorado (aproximadamente 30 min.)
Pasta phyllo = pasta a base de harina y agua de origen griego.

```
** E (K/cal) - 210   Pt (g) - 1   A.GrSt(g) - 0.2
   Col(mg) - 0.0   Az(g) - 22   Fb(g) – 4
```

Dulce de Leche con Esencia de Vainilla y Limón

Rendimiento: 4 Porciones · Tiempo de preparación: 0:25 min.

El nombre de este postre en italiano es panna cotta.

2 cucharadas grenetina
1/4 taza agua tibia
4 tazas leche sin grasa
1/4 taza azúcar
1 cucharadita vainilla extracto
1 1/2 cucharaditas jugo limón
2 tazas fresas picadas
1 cucharada azúcar glass

Pon la grenetina en un recipiente y agrega el agua tibia mientras mueves con un batidor globo o tenedor hasta que se disuelva la grenetina.

Vacía en una olla a fuego medio la leche y azúcar y déjala en el fuego mientras mueves continuamente y hasta que llegue al primer hervor. En ese momento retira la leche del fuego y agrega la grenetina, revisando que se integre perfectamente bien, agrega la vainilla y el jugo de limón y revuelve nuevamente, para después servir en 4 moldes o vasos desechables, mete a refrigerar por 4 horas aproximadamente o hasta que estén firmes.

Para desmoldar mete los vasos en agua tibia y voltea el molde sobre un plato, sirve las fresas alrededor de la panna cotta y espolvoréalas con azúcar glass.

** E (K/cal) - 230	Pt (g) - 12	A.GrSt(g) - 3
Col(mg) - 19	Az(g) - 0.0	Fb(g) - 1

Como tú sabes, una de las labores que me mantienen ocupado es la campaña permanente en contra del sobrepeso y la prevención del mismo, existen datos alarmantes que dicen que 1 de cada 6 niños con sobrepeso será un adolescente obeso, y de éstos, el 35 % se convertirán en adultos obesos. Ahora como tío y seguramente en un futuro como papá, me interesa que nosotros le transmitamos a estas nuevas generaciones, buenos hábitos alimenticios, así como el practicar algún ejercicio o actividad física. Las siguientes recetas son un ejemplo de que no se tienen que hacer sacrificios para convertir una comida tradicional de antojos en parte de la nueva cocina saludable para niños y adultos.

Aprovecha que a los niños les encanta participar en las actividades de los adultos, involúcralos desde ahora en la cocina en la medida de sus capacidades y de acuerdo con la edad que tengan. Por supuesto, siempre supervisados por un adulto. Te aseguro que estos momentos serán inolvidables para ellos, pero sobre todo quedarán grabados en ti.

Brócoli

Ejote

Aceituna

Huevo

Zanahoria

Jitomate

Pepino

240 Chavones

Milanesas de Pollo Empanizadas con Fibra

Rendimiento: 4 Porciones · Tiempo de preparación: 0:25 min.

Está una receta a la que ningún niño le va a poner un pero, es super fácil de hacer y, además divertida, te sugiero la hagas con tus hijos y al disfrutar en decorarla como cara, seguramente al momento de comer se devorarán los vegetales que como tú sabes son importantísimos para ellos.

1 taza leche baja en grasa
1 pieza huevo
3 cucharadas jugo de limón verde
2 dientes ajo
4 piezas medias pechugas de pollo aplanadas y deshuesadas
1/4 cucharadita pimienta negra
Sal al gusto

Para el empanizado
3/4 taza avena molida
1/4 taza salvado en polvo
3 cucharadas harina integral

Vacía en un tazón la leche, el huevo, el jugo de limón y el ajo previamente picado, revuelve bien y agrega sal y pimienta blanca al gusto. Marina las pechugas de pollo mientras preparas la base saludable para empanizar.

Para preparar el empanizado:
Mezcla la avena, el salvado y la harina integral.
Coloca la mezcla de avena y salvado sobre un plato o recipiente, saca las pechugas de la marinada y cúbrelas por los dos lados con la mezcla de avena en polvo. Ahora ponlas sobre una rejilla y repite la operación con el resto de las pechugas, mete al horno precalentado a 180° C (355° F) por 14 minutos aproximadamente.

TIP: El salvado es la cáscara o parte externa del grano de cereal, contiene minerales, principalmente hierro y vitaminas como tiamina, niacina y riboflavina, junto con algunas proteínas.

** E (K/cal) - 101   Pt (g) - 17.01   A.GrSt(g) - 0.55
Col(mg) - 50   Az(g) - 0.09   Fb(g) - 1.63

Pasta Cremosa

Rendimiento: 4 porciones · Tiempo de preparación: 0:25 min.

2 cucharadas aceite de oliva
3 cucharadas cebolla picada
1 taza corazones de alcachofa o
jitomates sin semillas en cuartos
1/2 taza de champiñones
1 taza espinaca
1/2 taza crema baja en grasa
3 tazas pasta espagueti o fetuccini cocida
1/2 taza queso
parmesano rallado

Cocina en un sartén con aceite la cebolla picada hasta que esté transparente, agrega los centros de alcachofa o el jitomate y deja a fuego alto por un par de minutos mientras mueves la sartén. Agrega los champiñones, la espinaca y la crema y baja el fuego a la mitad, deja en el fuego hasta que la crema hierva. Después retira del fuego y sirve encima de la pasta previamente cocinada en agua como lo haces de forma habitual, por último espolvorea sobre la pasta el queso parmesano y sirve.

**E (K/cal) - 447 Pt (g) - 15 A.GrSt(g) - 4
Col(mg) - 32 Az(g) - 3.76 Fb(g) - 1

Paletas Heladas Naturales

Rendimiento: 4 porciones · Tiempo de preparación: 0:25 min.

2 rebanadas sandía
2 rebanadas piña
2 cucharadas limón
1 cucharadita chile piquín en polvo

Corta la sandía en rodajas, después en cuartos, corta las piñas en rodajas sin cáscara, inyecta con el jugo de limón las frutas y espolvoréalas con el chile piquín en polvo, mete de manera individual en bolsas y cierra las bolsas con una liga. Mete a tu congelador Whirlpool hasta que estén firmes, puedes hacer de esta misma forma paletas con cualquier otra fruta.

** E (K/cal) - 39   Pt (g) - 0.59   A.GrSt(g) - 0.08
Col(mg) - 0.0   Az(g) - 9.45   Fb(g) - 0.87

Hot Cakes o Waffles de Sabores

Rendimiento: 4 porciones · Tiempo de preparación: 0:25 min.

Uno de mis desayunos favoritos. En esta receta uso harina integral pues es más nutritiva, agrego polvo para hornear y claras de huevo para darle una consistencia mucho más ligera e inflada, independientemente que las claras de huevo aportan proteínas, el yoghurt le da una textura más suave y aporta calcio, al incorporar el azúcar glass a la mezcla, le daremos un sabor más dulce con menos cantidad de azúcar y al cocinarse los hot Cakes o Waffles tendrán una textura crujiente y caramelizada.

Puedes complementarlos con plátano o algún otro ingrediente como chocolate, arándanos, uvas pasas, etcétera.

1/2 taza yoghurt bajo en grasa
1/2 taza leche descremada
2 tazas harina integral
4 cucharadas agua mineral
1 pieza huevo
2 pizcas sal
1/2 cucharadita polvo para hornear
4 cucharaditas azúcar glass

2 cucharadas mantequilla Lala, derretida
4 claras huevo

Para el complemento de sabores
Plátanos
1 cucharadita azúcar mascabado
1/4 cucharadita canela
1 pieza plátano en rebanadas
1 cucharadita mantequilla Lala

Para la masa de los Waffles o Hot Cakes:
Bate todos los ingredientes menos las claras de huevo. Monta las claras de huevo hasta punto de turrón e integra con la mezcla anterior de manera envolvente.

Para preparar los Plátanos:
Espolvorea los plátanos, azúcar y canela y saltéalos en un sartén con mantequilla Lala sin dejar que cambien de color, conserva por separado.

Para preparar los Hot Cakes:
Barniza un sartén o plancha con un poco de mantequilla y coloca algunos plátanos al fuego, sirve la masa encima y deja al fuego hasta que se cocinen por un lado, dales la vuelta y termina de cocinarlos por el otro lado.

Para preparar los Waffles:
Mezcla lo plátanos con la masa de forma envolvente y sirve sobre una wafflera barnizada con mantequilla Lala.

** E (K/cal) - 187	Pt (g) - 6.76	A.GrSt(g) - 3.43
Col(mg) - 35	Az(g) - 5.51	Fb(g) - 3.49

Pan Francés a mi Manera

Rendimiento: 4 porciones · Tiempo de preparación: 0:15 min.

Ésta es la receta favorita de mi sobrino Mauricio,
y seguramente se convertirá en la favorita de muchos de ustedes.

8 piezas pan de caja multigrano
2 claras huevo
1/4 taza leche baja en grasa
1/2 cucharada esencia de vainilla
2 cucharadas azúcar glass
1/2 cucharadita mantequilla Lala

Crema Dulce Baja en Grasa

Esta receta es una excelente alternativa para usar como crema dulce pero
con el beneficio de que casi no contiene grasa y sí proteína.

1/2 taza yoghurt
1/2 taza queso cottage Lala
1 cucharadita esencia de vainilla
1/2 cucharadita jugo de limón
1/2 cucharadita ralladura de naranja
1/2 cucharada miel de abeja

Para preparar el Pan Francés:

Retira las orillas del pan.

Mezcla las claras de huevo, la leche y la esencia de vainilla con el azúcar.

Sumerge los panes en esta mezcla, precalienta un sartén barnizado con mantequilla Lala y cocina los
panes hasta que cambien ligeramente de color y la consistencia de afuera sea ligeramente crujiente.

Para preparar la Crema dulce:

Licúa todos los ingredientes.

Presentación:

Sirve el pan acompañado de la crema dulce. Te recomiendo
agregues un poco de ralladura de naranja o limón y canela en
polvo.

| ** E (K/cal) - 141 | Pt (g) - 7.25 | A.GrSt(g) - 1.96 |
| Col(mg) - 9 | Az(g) - 3.76 | Fb(g) - 1.84 |